菜菜ごはん

野菜・豆etc.・すべて植物性素材でつくるかんたん満足レシピ集

"菜菜ごはん"はこんなごはん

　　肉、魚、卵、乳製品などの動物性素材は使いません。

砂糖、だしも使いません。

野菜、豆、穀類、海藻、こんにゃく、麩など、植物性素材だけを使います。

メインのおそうざいになる植物性素材の料理がいっぱいです。

毎日楽しんでほしいから、材料は少なく、レシピはシンプルに。

……すべて植物性素材を使ってととのえた、野菜や豆がいっぱいの料理。

それが、この本で提案する"菜菜ごはん"です。

たとえば、煮もの。
野菜を使った煮ものといっても、肉や魚、だしなどのうまみや、
砂糖などの甘みを野菜にしみ込ませたものが多く、
野菜そのものの味わいを食べさせるお料理は、案外と少ないのです。

野菜料理をつくり続けながら考えてきたことは、
「野菜だけでおいしいのになあ」「野菜だけでいいんじゃない？」
「野菜だけだからこそのおいしさがある！」ということ。
肉や魚など動物性素材の力を借りず、また、だしや砂糖なども加えず、
それぞれの野菜が持つ味や香りを、最大限にさまざまにひき出したお料理を伝えたい。

そんなメッセージを込めて、この本では野菜や豆を中心とする
植物性素材だけを使った"菜菜ごはん"をご紹介します。

いそがしい毎日で疲れぎみの方、外食続きで体をリセットしたい方、
健康が気になりはじめた方、ヘルシーな食事がしたい方、
野菜料理のバリエーションを知りたい方、とにかく野菜をたくさん食べたい方……。

この本のお料理だけで献立を組んでもよし、肉や魚料理と一緒に楽しむもよし。
むずかしいことはなし。まずは身近な野菜でつくり、
それぞれの野菜が持つ個性を味わい、楽しんでいただけたらと思います。

きょう手にした野菜でさっそく、"菜菜ごはん"にしませんか？

[菜菜ごはん] 目次

"菜菜ごはん"はこんなごはん ── 2

菜菜ごはんを楽しむために ── 8
  1. いい素材を使いましょう ── 9
  2. 野菜のおいしさをひき出しましょう ── 10
  3. 豆を気軽にとり入れましょう ── 12
  4. さあ ごはんを炊きましょう ── 14
  5. バランスのいい献立づくり はや分かり ── 15
  6. たとえばこんな献立は…… ── 16

シンプルにおいしく
素材別おそうざい　18

[じゃがいも]
じゃがいもの即席カレー ── 20
じゃがいものさわら風春巻 ── 21
じゃがいもごはん ── 22
じゃがいもと小大豆もやしのごまスープ ── 22
精進ポテトサラダ ── 23

[にんじん]
にんじんぎょうざ ── 24
にんじんのみそグリル ── 25
にんじんの梅酢ドレッシングサラダ ── 26
にんじんとお米のポタージュ ── 26
にんじんの韓国風ごはん ── 27

[キャベツ]
キャベツと大豆のクミン炒め ── 28
キャベツの豆腐ソースグラタン ── 29
キャベツと長いものポタージュ ── 30
蒸しキャベツのごまソースかけ ── 30
キャベツのしょうが風味ごはん ── 31

[青菜]
ほうれん草の里いもソースグラタン ── 32
青菜の油揚げ包み ごぼうあんかけ ── 33
ほうれん草のミネストローネ風 ── 34
ベビーリーフの韓国風生春巻 ── 34
春菊と松の実のチャーハン ── 35

[トマト]
トマトの詰めもの ハーブとろろかけ ── 36
トマトと厚揚げのみそ炒め ── 37
トマトのアチャール ── 38
トマトのチゲ風スープ ── 38
トマトと海藻の丼 ── 39

[ピーマン]
ピーマンとエリンギのまるごと煮 ── 40
ピーマンのきのこみそ詰め焼き ── 41
生ピーマンとめかぶのたたき ── 42
赤ピーマンといんげん豆のスープ ── 42
焼きピーマンのとろろ丼 ── 43

［なす］
なすと焼き豆腐の甲州煮 ── 44
冷やしなすのピリカラ海藻かけ ── 45
なすのシリア風ワインビネガー漬け ── 46
焼きなすのみそポタージュ ── 46
精進マーボーなす丼 ── 47

［かぼちゃ］
かぼちゃのねぎみそ焼きまんじゅう ── 48
かぼちゃソテー そば米あんかけ ── 49
生かぼちゃと香味野菜のサラダ ── 50
かぼちゃのおかゆスープ ── 50
かぼちゃとピーナッツの中華風炊き込みごはん ── 51

［さつまいも］
さつまいものおから煮 ── 52
さつまいものミニコロッケ ── 53
さつまいものすり流し汁 ── 54
さつまいものしょうゆきんぴら ── 54
さつまいものカレーリゾット ── 55

［きのこ］
精進すき焼き ── 56
きのこの紙包み焼き ── 57
きのこナゲット ── 58
しいたけの豆乳ポタージュ ── 58
きのこと根菜のポン酢ずし ── 59

［れんこん］
れんこんソテー ねぎソースかけ ── 60
れんこんのお好み焼き ── 61
れんこんとナッツの辛味炒め ── 62
れんこんの冷やしすり流し汁 ── 62
れんこんずし ── 63

［大根］
大根の塩味グリル ── 64
けんちん煮 ── 65
菊の花とぶどうのみぞれあえ ── 66
精進大根蒸し ── 66
大根の押しずし ── 67

［乾燥豆］
黒豆のベジバーグ ── 68
金時豆のお焼き ── 69
ひたし豆の辛子じょうゆ漬け ── 70
きなこ汁 ── 70
豆のパエリア ── 71

［豆腐］
豆腐の精進す入りおでん ── 72
厚揚げの焼き豚風 ── 73
豆腐のぶっかけ丼 ── 74
豆腐のみそディップ ── 74
豆腐の精進茶碗蒸し ── 75

[切干大根]

切干大根のおかゆ ─────────── 76

切干大根のそば粉焼き ───────── 76

切干大根と柿のごま酢あえ ──────── 76

精進コンソメ ──────────── 76

[こんにゃく]

たぬき汁 ────────────── 78

こんにゃくの焼き肉風 ───────── 78

こんにゃくの唐揚げ風 ───────── 78

こんにゃくのとろろ昆布あえ ────── 78

[麩]

麩とクレソンの黒ごまあえ ──────── 80

車麩のみそカツ丼 ───────────── 80

車麩と炒り大豆の中華風煮もの────── 80

麩のクロスティーニ ────────── 80

菜菜ごはんをさらに楽しく
あえ衣 常備菜 デザート 82

応用自在のあえ衣

きなこのあえ衣 ───────────── 84

　　いんげんのきなこあえ／ごぼうと干し柿のきなこ酢あえ

海藻のあえ衣 ───────────── 85

　　大根と菊の花の海藻あえ／大豆の海藻あえ ゆず風味

長いもとろろのあえ衣 ───────── 86

　　小松菜としめじのとろろあえ／せん切り野菜のとろろ酢あえ

納豆のあえ衣 ──────────── 87

　　なすの納豆あえ／じゃがいもの納豆あえ

ごはんのおとも 常備菜

黒豆のまだか漬け ──────────── 88　90

納豆みそ ────────────── 88　90

海藻の即席つくだ煮風 ───────── 88　90

香り根っこのこしょうきんぴら ───── 89　91

大根のネパール風漬けもの ─────── 89　91

ゆば山椒 ────────────── 89　91

あると幸せ デザート

おからとかぼちゃクリームのトライフル ── 92　94

黒米と小豆の精進パフェ ──────── 92　94

豆腐クリームのデザートバリエーション ── 93　95

　　豆腐クリーム＋フレッシュブルーベリー
　　豆腐クリーム＋りんごのコンポート
　　豆腐クリーム＋麩のシロップ漬け→ティラミス風
　　豆腐クリーム＋さつまいもとかぼちゃ

きなこのスクエアケーキ ──────── 96　98

さつまいものみそケーキ ──────── 96　98

なすとプルーンのワインコンポート ─── 97　99

トマトとりんごの春巻パイ ─────── 97　99

甘酒のアイスクリームバリエーション ── 100

　　いちご／里いも／ごま／紫キャベツ

日々菜々 ────────────── 102

つくりはじめる前に

○ 材料はすべて2人分、またはつくりやすい分量です。
○ 1カップ＝200cc、大さじ1＝15cc、小さじ1＝5ccです。
○ 特に指定がない場合、野菜は中サイズのものを使っています。
○ 特に指定がない場合、野菜は皮ごと使っています（にんにく、玉ねぎ、里いもを除く）。
○ 塩は自然塩を使います。
○ オリーブ油はエクストラバージンオリーブ油を使っています。
○ ただ「油」と書かれている時は、菜種油などクセのない油を使ってください。
○ こしょうは、黒粒こしょうを挽いて使っています。
○ 米は三分づき米を使っています（P.14）。
好みで発芽玄米、胚芽米などにかえてもいいですし、麦や雑穀を混ぜてもかまいません。
○ 小麦粉は地粉（国産の中力粉）を使っています。
○ レシピにたびたび登場する麦みそは、クセがなく自然な甘みがあり、調味料として重宝する素材。
ない場合は、お持ちの米みそで代用してかまいませんが、分量は味をみながら加減してください。
○ レシピに何度か登場する梅酢（市販品）は、梅干をつくる時にできるもので、適度な塩気があり、
味、香りもいい酢。ない場合は、かんきつ類の絞り汁または米酢に味をみながら塩を少々加えて代用してください。
○ メープルシロップは好みの自然な甘味料で代用してもかまいません。
○ 調味料の分量などはあくまで目安です。素材の状態や好みなどに応じて加減してください。

撮影　渡邉文彦　　スタイリング　三谷亜利咲
アートディレクション　伊丹友広（イット イズ デザイン）　　デザイン　大野美奈　堀部史朗（イット イズ デザイン）
料理アシスタント　下条弘恵　　編集　萬歳公重

INTRODUCTION

菜菜ごはんを楽しむために

野菜のおいしさを最大限にひき出すには？
植物性素材だけで満足感のあるごはんをつくるには？
菜菜ごはんを楽しむために知っておきたい、
ちょっとしたコツやポイントをご紹介します。

いい素材を使いましょう 1.

肉や魚などの動物性素材に比べて、野菜や豆など植物性素材の味わいは繊細。それだけに、素材選びが肝心です。新鮮で質のいい素材を使うことが、おいしさの最大のポイントです。

元気な野菜を選ぶ。
旬の新鮮な野菜は栄養価が高く、香りも味も濃いもの。
そして、できるだけ自然な農法でつくられたものを選べば、皮ごと使っても安心です。

基本調味料にこだわる。
ふだんよく使う調味料こそ、いいものを。昔ながらの製法でつくられた
自然のものを選んでください。それだけでお料理の味がビシッと決まります。

塩
海水の甘みやうまみをかね備えた自然塩を。

しょうゆ　みそ　酢
古くからの製法でじっくりと時間をかけて熟成させた、無添加のものを。

油
古くからの製法でつくられた、圧搾一番搾りのものを。

2. 野菜のおいしさをひき出しましょう

野菜そのものが持つ自然な甘みや香り、食感などを最大限に生かすことができれば、動物性素材や砂糖、だしなどの助けを必要としない、「野菜だけだからこそのおいしさ」を実感できます。

皮ごと使う。

野菜の皮には、栄養もうまみも香りもたくさん含まれています。
できるだけ皮はむかずに調理しましょう。皮ごと使えば、皮はだしの役目もはたしてくれます。

水にさらさない。

水に浸すことで、せっかくのうまみや栄養分が逃げてしまう場合があります。
多少の"あく"はうまみの一部です。ただし、えぐみが強いほうれん草などだけは、
ゆでたらさっと冷水にとりましょう。

塩をじょうずに使う。

塩は野菜本来の甘みをひき出してくれます。
調理の要所要所で塩をごく少量ふることで、野菜料理は格段においしくなります。

「蒸し煮」がおすすめ。

野菜のシンプルな調理法のひとつとして、蒸し煮をおすすめします。
最小限の水分で加熱するため、干し野菜や焼きいものように、
うまみが凝縮された状態で味わえます。

☐ 蒸し煮の仕方（例：じゃがいも）

1 厚手の鍋（ステンレス製の多重構造の鍋などがおすすめ）に
小さめに切ったじゃがいもを入れ、少量の水（じゃがいもが半分隠れるくらい）を加える。
2 塩少々を加えてふたをし、弱火にかける。
3 沸騰して鍋のふたがコトコト音をたて、いい香りがしてきたら、ふたをとって
火のとおりを確認する。まだ固ければふたをしてもう数分蒸し煮する。
柔らかくなっていればふたをとり、強火にして水分をとばす。
4 ほっこりしたでき上がり。

※ほかの野菜も同じ要領で蒸し煮できます。ただし、加える水の量は、
各野菜の水分量や切り方などによって加減してください。

1　　　2　　　3　　　4

3. 豆を気軽にとり入れましょう

良質なたんぱく質などを多く含む豆類は、充実した菜菜ごはんのために欠かせません。豆をゆでるのも、炒るのも、意外にかんたん。いちどにたくさんつくって冷凍しておけば、さっと使えて便利です。もちろん、市販品を利用してもかまいません。

□ 豆のゆで方（例：大豆）

1　大豆はたっぷりの水にひと晩浸してもどす。漬け汁を捨てて大豆のみを厚手の鍋に入れ、新たに大豆の3～4倍量の水を加えて強火にかける。
2　沸騰したらあくをすくいとり、弱火にする。
3　大豆が水面に出ない状態を保ちながら40分ほど煮る。
ひと粒食べてみて柔らかくなっていれば、でき上がり。
ちなみに、気持ち固めにゆで上げるのが、豆のおいしさを味わうコツ。
4　冷凍する時は、使いやすい量に小分けして保存袋に入れる。
解凍は、加熱して使う場合は袋ごと流水にあてればいい。

※黒豆、金時豆、白いんげん豆、ひよこ豆なども同じ要領でゆでられます。
沸騰後のゆで時間の目安は、40分～2時間。また、小豆はもどさなくてOK。
3～4倍量の水を加えて沸騰させたらゆでこぼし、ふたたび水を加えて火にかけ、沸騰後50分～1時間ほどゆでます。
※大豆などのゆで汁は、だしとしても利用できます。
※ゆでた豆は使いみちが多い。サラダやあえもの、炒めもの、カレー、スープなどに気軽にプラスできます。

1　2　3　4

□ 豆の炒り方（例：大豆）

1　厚手のフライパンに大豆を入れ、弱火で20～30分、木べらで気長に炒る。
2　割れめができ、いい香りがしてきたら、でき上がり。

※大豆の仲間（黒豆など）も同じ要領で炒れます。
※上記の要領で炒った豆は、冷めると固くなるので、冷めたものは調味液に漬けたり、スープや煮ものなどに加えて再加熱するのがおすすめ。炒り豆はだしとして使え、料理にコクと風味をプラスしてくれます。
また、普通に水加減した米に炒り豆と塩、しょうゆ少々を加えて炊くと格別のおいしさです。

1　2

4. さあごはんを炊きましょう

すべて植物性素材でつくるおそうざいには、やはりナチュラルなごはんを合わせたい。玄米、胚芽米など好みのお米でかまいませんが、この本では「三分づき米」をおすすめします。玄米の栄養を残しつつ、炊飯器で普通に炊くことができ、白米に慣れた人でも食べやすい。どんなおかずにも合い、チャーハンやおすしなどのアレンジにも向きます。ただし、三分づき米は酸化しやすいので、ご自宅に精米機があれば炊くごとに精米してください。お店で精米してもらう場合には少量単位で頼み、冷蔵庫で保存して2週間以内には食べきるようにしましょう。

☐ 三分づき米の炊き方

1 米をボウルに入れ、水をそそいでざっと混ぜて水を捨てる。新たに水をそそぎ、手で米を左右にゆらすようにしてやさしく洗う。水をかえて2〜3度くり返す。
（とがなくていい。とぐとその分、栄養分も流れ出やすい。）
2 普通に水加減し、塩少々を加える。
塩を少量加えることで米の甘みがひき出され、よりおいしくなる。
3 普通に炊く。ふっくらとした炊き上がり。

1　　　2　　　3

5. バランスのいい献立づくりはや分かり

菜菜ごはんの献立をたてる時、下記の11項目が揃うように意識すると、栄養バランスをとりやすくなります。いちどの食事ですべての項目が揃わなくても、たとえば、たりないものが1日の食事の中で補えるように、楽しみながらチェックしてみてはいかがでしょう。項目を揃えることは意外にかんたん。たとえば種実類がたりないと思ったら、汁ものにすりごまをさっとふればクリアです。

未精白の穀類
玄米、三分づき米、
全粒粉など。

豆・豆加工品
大豆、きなこ、豆腐など。

発酵食品
みそ、納豆、ぬか漬けなど。

緑黄色野菜
小松菜、ピーマン、
かぼちゃなど。

種実類
ごま、くるみ、ピーナッツなど。

ハーブ・スパイス
しょうが、青じそ、クミンなど。

淡色野菜
キャベツ、セロリ、
きゅうりなど。

海藻
ひじき、めかぶ、もずくなど。

きのこ
しいたけ、しめじ、
えのきだけなど。

根菜類・いも類
れんこん、ごぼう、
さつまいもなど。

フルーツ
いちご、りんご、オレンジなど。

6. たとえばこんな献立は……

シチュエーション別に献立をたて、それぞれクリアできた項目(P.15)をあてはめてみました。一品でもなかなか優秀なのが、この本に登場するレシピの特徴です。みなさんのきょうの菜菜ごはんはいかがでしたか……？

しっかり食べたい時
一汁二菜

- 黒豆のベジバーグ(P.68)と葉野菜
- にんじんの梅酢ドレッシングサラダ(P.26)
- さつまいものすり流し汁(P.54)
- 三分づきごはん(P.14)
- りんご

11項目すべてクリア

時間も手間もかけたくない時
丼と常備菜

- トマトと海藻の丼 (P.39)
- 納豆みそ (P.88) と野菜スティック

9項目クリア

あわただしい時
つくり置きしたケーキとお茶

- きなこのスクエアケーキ
  （P.96。全粒粉を使用）
- ハーブティー

5項目クリア

シンプルにおいしく
素材別おそうざい

おなじみの野菜に豆や麩など、17素材計82品のレシピをご紹介。
それぞれの素材の個性がさまざまな形で味わえます。
メインディッシュとして楽しめる満足感のあるおそうざいを中心に、
副菜、スープ、ごはんものまで、かんたんレシピが勢揃い。
気分に合わせた菜菜ごはんをどうぞ。

クミンとターメリックさえあればすぐにできる、カレー風味の煮込み

じゃがいもの即席カレー

クミンシード　小さじ1/2
オリーブ油　小さじ2
Ⓐ　しょうが(すりおろす)　小さじ1
　　にんにく(すりおろす)　小さじ1
じゃがいも(小さめの乱切り)　3個
トマト(ざく切り)　1個
さやいんげん(適当に切る)　12本
水　1 1/2カップ
Ⓑ　塩、しょうゆ　各小さじ1
　　ターメリック　小さじ1/2
　　こしょう、粉唐辛子　各少々

1　鍋にオリーブ油とクミンシードを熱し、いい香りがしてきたらAを加えて2～3分炒める。
2　じゃがいも、トマト、さやいんげん、水を加えてふたをする。じゃがいもが柔らかくなるまで10分ほど煮る。
3　ふたをはずしてBを加え、さらに2～3分煮て仕上げる。

※ネパールで人気のおそうざい。ほかにも、カリフラワー、なす、大根、にんじん、キャベツ、長ねぎ、豆腐、豆類など、あらゆる素材が合います。

じゃがいも＋しょうが＋えのきだけ＋のりで、不思議とお魚のような味に
じゃがいものさわら風春巻

じゃがいも　1個
しょうが（せん切り）　1/2かけ
ごま油　小さじ1/2
えのきだけ（3cm長さに切る）　1/2袋
塩　小さじ1/4
しょうゆ　少々
春巻の皮（小）　5枚
焼きのり（5等分する）　1/2枚
水溶き小麦粉　適量
油　適量

1　じゃがいもは蒸し煮し（P.10）、つぶす。
2　フライパンにごま油を熱してしょうがを炒め、いい香りがしてきたら
えのきだけを加えてさっと炒める。塩、しょうゆで下味をつけ、1に加え混ぜる。
味見をして薄ければ、さらに塩、しょうゆを適宜加え、5等分する。
3　春巻の皮の中心にのりを敷いて、2を1個分ずつのせて包み、
水溶き小麦粉でとめる。
4　天板にオーブンシートを敷いて3をのせる。
油をふりかけて全体にまぶしつけ、表面に2ヵ所切込みを入れる。
200℃のオーブンでおいしそうな焼き色がつくまで10分ほど焼く
（少し多めの油を入れたフライパンで焼いてもいい）。

※そのままでも、しょうが汁入り酢じょうゆや、
タバスコと塩を加えたトマトピューレなどを添えても、おいしい。

塩をきかせた香ばしいじゃがいもと青じそで、後をひく味

じゃがいもごはん

じゃがいも（7〜8mm角切り） 1個
塩 小さじ1/2
油 少々
青じそ（せん切り） 4枚
ごはん 茶碗2杯分
刻みのり 適量

1 天板にオーブンシートを敷き、塩と油をまぶしつけたじゃがいもをのせ、190℃のオーブンで12分ほど焼く。
青じそは塩を多め（分量外）に加えた熱湯をさっとかけておく。
2 ごはんにじゃがいもと青じそを加え混ぜる。
3 器に盛り、刻みのりをのせる。

小大豆もやしがそのままおいしいだしに。自然な甘みとコクが出ます

じゃがいもと小大豆もやしのごまスープ

じゃがいも（小さめの乱切り） 1/2個
ごま油 小さじ1弱
水 2 1/4カップ
小大豆もやし 1/2カップ
みそ 大さじ1 1/2
塩 少々
すりごま（白） 大さじ2
万能ねぎ（小口切り） 適量

1 鍋にごま油を熱してじゃがいもを炒め、水を加えて5分ほど煮る。
2 小大豆もやしを加えてさらに5分ほど煮る。
みそ、塩で味をととのえ、すりごまを加え混ぜる。
3 器に盛り、万能ねぎを散らす。

卵を使わないヘルシーマヨネーズであえます。驚きのおいしさ
精進ポテトサラダ

じゃがいも 2個
レモン汁 少々
きゅうり（小口切り） 1/2本
玉ねぎ（薄切り） 1/6個
オリーブ油 少々
塩、こしょう 各少々
精進マヨネーズ
　木綿豆腐 1/2丁
　オリーブ油 大さじ2
　米酢 小さじ2
　マスタード、レモン汁 各小さじ1
　塩 小さじ1/2

1 じゃがいもは水からゆでてつぶし、温かいうちに塩とレモン汁をまぶす。
きゅうりは塩をまぶし、水気を絞る。玉ねぎは塩とオリーブ油をまぶす。
2 精進マヨネーズをつくる。鍋に湯を沸かし、豆腐をくずし入れる。
ふたたび沸騰したらざるに上げて水気を切る。
すべての材料をミキサーまたはフードプロセッサーにかけてなめらかにする。
3 1を2であえ、塩、こしょうで味をととのえる。

にんじんの甘みが生きたやさしい味。にんじんぎらいなお子さんにもおすすめ

にんじんぎょうざ

A
- にんじん（みじん切り） 小さめ1本
- 生しいたけ（みじん切り） 5枚
- しょうが（みじん切り） 1かけ
- にんにく（みじん切り） 1かけ
- 長ねぎ（みじん切り） 10cm
- 塩、ごま油 各小さじ1/2
- こしょう 少々

小麦粉 大さじ1
ぎょうざの皮 20枚（1袋）
油 適量
酢じょうゆ 適量

1 ボウルにAを入れて混ぜ合わせる。
小麦粉をふって全体に混ぜ、20等分する。
2 ぎょうざの皮の周囲に水を塗り、1を1個分ずつのせて包む。
3 フライパンに油を熱し、2を並べて焼く。ぎょうざの底面が少し色づいたら水（分量外）をぎょうざの高さの半分くらいまで入れてふたをし、中火で蒸し焼きにする。水がほとんどなくなったらふたをはずし、こんがりきつね色に焼き上げる。酢じょうゆでいただく。

じっくり焼くことで、にんじんそのものの甘みが際立ちます

にんじんのみそグリル

にんじん（2.5cm厚さの輪切り）　1本
オリーブ油　大さじ1
塩　少々

A ┃ 麦みそ　大さじ2
　┃ 長ねぎ（みじん切り）　大さじ1
　┃ くるみ（みじん切り）　大さじ1
　┃ すりごま（白）　大さじ1
　┗ しょうが（みじん切り）　1かけ

1　天板にオーブンシートを敷き、オリーブ油と塩を全体にまぶしつけたにんじんを置く。同サイズのもう1枚の天板を上からかぶせ、230℃のオーブンで15分ほど焼く。かぶせた天板をはずす。
2　Aを混ぜ合わせて1のにんじんにのせ、200℃のオーブンでおいしそうな焼き色がつくまでふたたび6〜7分焼く。

酢の効果でより色鮮やかに。たくさん食べられるさっぱりした味わい

にんじんの梅酢ドレッシングサラダ

乾燥ひじき（もどしたもの）　約1/5カップ
にんじん（せん切り）　1/3本
セロリ（斜め薄切りにした後せん切り）　10cm
梅酢ドレッシング
　赤梅酢　大さじ1
　オリーブ油　小さじ2
　すりごま（白）　小さじ1
　しょうゆ　少々

1　鍋に水1/2カップとしょうゆ小さじ1（ともに分量外）を入れて沸騰させ、もどしたひじきを入れる。2～3分煮て冷まし、水気を切る。
2　梅酢ドレッシングの材料を混ぜ合わせ、にんじん、セロリ、1をあえる。

にんじんはポタージュに合う素材。お米でやさしい甘みととろみをつけます

にんじんとお米のポタージュ

にんじん（乱切り）　1/2本
玉ねぎ（薄切り）　1/4個
オリーブ油　小さじ1
米（洗う）　大さじ3
水　2カップ
塩　少々

1　鍋にオリーブ油を熱し、にんじん、玉ねぎを炒める。
2　玉ねぎが透きとおったら米を加えてさらに炒め、水を加えてふたをする。にんじんと米が柔らかくなるまで15分ほど煮る。
3　2をミキサーまたはフードプロセッサーにかけてなめらかにする。鍋にもどして温め、塩で味をととのえる。
※パセリのみじん切りをふってもいい。

薬味をきかせてにんじんを食べやすく。にんじんが苦手な方にもうけます

にんじんの韓国風ごはん

にんじん（みじん切り）　小さめ1本
ごま油　小さじ1
塩　少々
米（洗う）　2合
薄口しょうゆ　大さじ2
Ⓐ　長ねぎ（みじん切り）　大さじ½
　　にんにく（みじん切り）　小さじ½
万能ねぎ（小口切り）　適量
韓国風だれ
　長ねぎ（みじん切り）　大さじ1
　にんにく（すりおろす）　少々
　すりごま（白）　大さじ1
　しょうゆ　大さじ2強
　ごま油　小さじ2
　粉唐辛子　少々

1　フライパンにごま油を熱し、にんじんをさっと炒めて塩をふる。
2　米を炊飯器に入れ、薄口しょうゆを加える。2合の目盛りまで水（分量外）を入れ、1とAを加えて普通に炊く。
3　韓国風だれの材料を混ぜ合わせる。
ごはんを器に盛って万能ねぎを散らし、たれをかけていただく。

クミンとキャベツは相性抜群。キャベツがいくらでも食べられます

キャベツと大豆のクミン炒め

クミンシード　小さじ1
オリーブ油　小さじ2
キャベツ（ざく切り）　1/6個
ゆでた大豆（P.12）　1/4カップ
塩　小さじ1/2

1　フライパンにオリーブ油とクミンシードを熱し、いい香りがしてきたらキャベツとゆで大豆を加え、キャベツがしんなりするまで炒める。
2　塩で味をととのえる。

※「じゃがいもの即席カレー」（P.20）「大根のネパール風漬けもの」（P.89）でも使っているクミンシードは、野菜や豆と相性がよく、持っていると重宝するスパイス。
カレー粉の主な原料として使われていることからも分かるように、食欲をわかせる香りです。
穏やかなスパイシーさが植物性素材の個性をひきたててくれます。

混ぜるだけのかんたんソースでグラタンに。深いコクは感動ものです

キャベツの豆腐ソースグラタン

キャベツ（大きめのざく切り）　1/6個
マッシュルーム（縦半分に切る）　5〜6個
長ねぎ（3cm長さに切る）　1/3本
オリーブ油　小さじ2
塩　少々
パン粉　適量
豆腐ソース
　絹ごし豆腐　1丁
　白みそ　大さじ4
　オリーブ油　大さじ2
　レモン汁　小さじ1
　塩　少々

1　フライパンにオリーブ油を熱し、キャベツ、マッシュルーム、長ねぎを炒め、塩で下味をつける。
2　豆腐ソースの材料をミキサーまたはフードプロセッサーにかけてなめらかにする。
3　耐熱の器に1を入れて2をかけ、パン粉をふる。220℃のオーブンでおいしそうな焼き色がつくまで7〜8分焼く。

※豆腐ソースはホワイトソース感覚で使えます。かぼちゃ、じゃがいも、アスパラガスなどもグラタンにおすすめ。好みの野菜で楽しんでください。

煮込むことでキャベツの甘みが際立ちます。長いもでとろみをプラス
キャベツと長いものポタージュ

にんにく(みじん切り) 1かけ
オリーブ油 小さじ1
玉ねぎ(薄切り) 1/4個
キャベツ(葉の部分。ざく切り) 3枚
長いも(5mm厚さの輪切り) 5cm
水 3カップ
塩 小さじ1/2弱

1 鍋にオリーブ油とにんにくを入れ、弱火で熱する。いい香りがしてきたら玉ねぎを加えてじっくりと炒める。キャベツ、長いもを加えてさらに炒め、水を加えて10〜15分煮る。
2 1をミキサーまたはフードプロセッサーにかけてなめらかにする。鍋にもどして温め、塩で味をととのえる。

※長いもや米などでやさしいとろみと甘みを加えると、乳製品を使わずにおいしいポタージュがつくれます。
そら豆、グリーンピース、かぼちゃなどもポタージュに向きます。

ねっとりとしたちょっと辛いソースが、キャベツの甘みによく合います
蒸しキャベツのごまソースかけ

キャベツ(4等分する) 1/4個
長ねぎ(白い部分。せん切り) 5cm
青じそ(せん切り) 3枚
ごまソース
　練りごま(白) 大さじ2
　みそ 大さじ1
　粉唐辛子 少々
　しょうゆ 大さじ2
　水 大さじ1〜2

1 キャベツは5分ほど蒸すか、蒸し煮する(P.10)。
2 ごまソースの材料を混ぜ合わせる。
3 皿に1を並べて2をかけ、長ねぎと青じそを飾る。

しょうがの風味がさわやかな、なごむ味。キャベツの歯ざわりも楽しい
キャベツのしょうが風味ごはん

キャベツ（ざく切り） 1/6個
塩 小さじ1
油揚げ 1枚
米（洗う） 2合
薄口しょうゆ 大さじ1
塩 小さじ1/2
A　だし用昆布 5cm角
　　しょうが（せん切り） 1かけ

1　キャベツは塩もみする。
2　油揚げは熱湯をさっとかけて油抜きし、せん切りにする。
3　米を炊飯器に入れ、薄口しょうゆと塩を加える。2合の目盛りまで水（分量外）を入れ、2とAを加えて普通に炊く。
4　ごはんが炊けたら1の水気を絞って加え、全体を混ぜる。

※手に入れば、ぜひ新しょうがでつくってみてください。
風味が柔らかなので、2〜3かけ使ってもだいじょうぶ。

カレーの風味がアクセント。里いもがソースに適度なとろみをつけます

ほうれん草の里いもソースグラタン

ほうれん草 1/3束
しめじ（適当にさく）1/2パック
オリーブ油 小さじ1
塩 少々
里いもソース
   里いも（皮をむく）3個
   豆乳 1カップ
   カレー粉 小さじ1
   塩 小さじ1/2

1 ほうれん草は塩を加えた熱湯でさっとゆでてさっと冷水にとり、水気を切って適当に切る。
2 フライパンにオリーブ油を熱して1としめじをさっと炒め、塩で下味をつける。
3 里いもソースをつくる。すべての材料をミキサーまたはフードプロセッサーにかけてなめらかにする。
4 2を耐熱の器に入れて3をかけ、220℃のオーブンでおいしそうな焼き色がつくまで12分ほど焼く。

油揚げのコクとごぼうの香りで青菜がたくさん食べられます
青菜の油揚げ包み ごぼうあんかけ

好みの青菜 1/2束
　（ほうれん草、小松菜など）
塩、しょうゆ 各少々
油揚げ 1枚
ごぼう（ささがき） 10cm
ごま油 小さじ1
水 1/2カップ
しょうゆ 大さじ1
くず粉 小さじ1 1/2
しょうが（すりおろす） 小さじ1/2

1　青菜は塩を加えた熱湯でさっとゆでてさっと冷水にとり、ざるに上げてしょうゆ少々をふり、軽く絞る。5cm長さに切る。
2　油揚げは4隅を切って開き、さらに2等分して4枚にする。
3　2に1を1/4量ずつのせて巻き、爪楊枝でとめる。油を敷かないフライパンで軽く焦げめがつくまで焼く。爪楊枝をはずし、適宜に切る。
4　フライパンにごま油を熱してごぼうを炒め、いい香りがしてきたら水を加えて2～3分煮る。しょうゆを加え、同量の水（分量外）で溶いたくず粉を加えてとろみをつける。
5　器に3を盛って4をかけ、しょうがをのせる。

※ごぼうは"ハーブ"的に使えます。独特な甘いいい香りが青菜のクセをやわらげ、青菜をひきたててくれます。

トマトの甘みで煮ると、ほうれん草がぐんと食べやすくなります

ほうれん草のミネストローネ風

ほうれん草 1/8束
にんにく（みじん切り） 1/2かけ
オリーブ油 大さじ1
玉ねぎ（薄切り） 1/4個
Ⓐ
　水 2カップ
　ホールトマト（粗くつぶす） 1/2カップ
　赤ワイン 大さじ1 1/2
　しょうゆ 大さじ1/2　塩 小さじ1/2
　ローリエ 1枚　赤唐辛子 1/2本
塩、こしょう 各少々

1 ほうれん草は塩を加えた熱湯でさっとゆでてさっと冷水にとり、水気を切って適当に切る。
2 鍋にオリーブ油とにんにくを入れ、弱火でじっくりと熱する。いい香りがしてきたら玉ねぎを加えてややきつね色になるまで炒め、Aを加えて5分ほど煮る。
3 2に1を加えてさらに5分ほど煮て、塩、こしょうで味をととのえる。

コクのあるちょっと辛い味つけがポイントです

ベビーリーフの韓国風生春巻

ベビーリーフミックス 約1パック
生春巻の皮 6枚
長ねぎのナムル
　長ねぎ（せん切り） 1/2本
　すりごま（白） 大さじ1
　ごま油、しょうゆ 各大さじ1
　米酢 小さじ1/2
　粉唐辛子 少々

1 ベビーリーフは食べやすい大きさにちぎり、よく水気を切る。
2 長ねぎのナムルの材料を混ぜ合わせる。
3 大きめのボウルに水をたっぷり入れ、生春巻の皮を1枚ずつさっと浸してはバットにのせて1〜2分おいてもどす。
4 3に1と2を各1/6量ずつのせて巻く。適宜に切って器に盛る。

※生春巻の皮はもどしすぎないほうがおいしい。

春菊の香り、松の実のコク、適度な塩気。思わず食がすすみます
春菊と松の実のチャーハン

長ねぎ（小口切り）　10cm
松の実　大さじ2
ごま油　小さじ2
春菊（1cmざく切り）　½束
ごはん　茶碗3杯分
Ⓐ　薄口しょうゆ　小さじ1
　　塩　適量　こしょう　少々
糸唐辛子　適量

1　フライパン（フッ素樹脂加工のものが向く）にごま油を熱して
長ねぎ、松の実を炒め、軽く焦げめがついたら春菊を加えて炒める。
2　春菊がしんなりしたらごはんを加えて炒め、Aで味をととのえる。
3　器に盛り、糸唐辛子を飾る。

焼いたトマトが甘くてジューシー。赤、白、緑の色合いもかわいい

トマトの詰めもの ハーブとろろかけ

トマト 2個
エリンギ（1cm角切り） 1本
オリーブ油 小さじ1
しょうゆ 少々
A ┌ 長いも（すりおろす） 5cm
　├ バジルの葉（みじん切り） 3〜4枚
　└ 塩 少々
パン粉 適量
塩 少々
バジルの葉（飾り用） 2枚

1　トマトは上部を切りとり、スプーンで中身をくり抜いて内側に塩をふる。切りとった上部（へたは除く）、くり抜いた部分はざく切りにする。
2　フライパンにオリーブ油を熱してエリンギを炒め、1のざく切りにしたトマトも加えて汁気がほとんどなくなるまで炒める。塩、しょうゆで下味をつける。
3　天板に1のくり抜いたトマトをのせ、2を詰める。混ぜ合わせたAをかけてパン粉をふり、190℃のオーブンでおいしそうな焼き色がつくまで20分ほど焼く。バジルの葉を飾る。

ごはんがすすむ味です。丼に仕立ててもおいしい

トマトと厚揚げのみそ炒め

厚揚げ ½枚
A ┌ 生しいたけ（みじん切り） 3枚
　│ 長ねぎ（みじん切り） 10cm
　└ しょうが（みじん切り） ½かけ
ごま油 小さじ2
トマト（ざく切り） 2個
B みそ 大さじ2強　しょうゆ 小さじ2
万能ねぎ（小口切り） 適量

1 厚揚げは熱湯をさっとかけて油抜きし、3cm角に切る。
2 深めのフライパンにごま油を熱してAを炒め、いい香りがしてきたらトマトと1を加えて炒める。
3 Bで味つけをしてさらに1～2分炒め煮し、仕上げに万能ねぎを散らす。

※トマトとみそは意外に好相性です。

さわやかな辛みが新鮮。漬けもの感覚の一品です
トマトのアチャール

トマト 1個
塩 小さじ1/2
A ┌ 玉ねぎ（みじん切り） 小1/4個
  │ 花椒 小さじ1/2
  │ （中国産の山椒の実。つぶす）
  │ 青唐辛子（みじん切り） 1本
  └ 香菜（細かく刻む） 適量

1 トマトはへたをとって細かく切り、塩をふる。
2 Aを1に加え混ぜる。

※花椒がない場合は黒粒こしょうで、
青唐辛子がない場合は赤唐辛子で代用してください。
※薬味としてカレーやそうめんに添えてもよく合います。

トマトの甘酸っぱさがひきたつ、ちょっと辛いスープ。暑気払いにいかが
トマトのチゲ風スープ

A ┌ トマトジュース 1 1/2カップ
  │ 水 1カップ
  │ 長ねぎ（みじん切り） 大さじ1
  │ しょうが（すりおろす） 1/2かけ
  │ にんにく（すりおろす） 1/2かけ
  │ すりごま（白） 大さじ1
  │ 麦みそ、しょうゆ 各大さじ1
  └ 粉唐辛子、塩 各少々
えのきだけ（3〜4cm長さに切る） 1/2袋
にら 1/4束
　（または万能ねぎ。3〜4cm長さに切る）

1 鍋にAを入れて沸騰させ、えのきだけとにらを散らす。

トマトの甘みをシンプルに際立たせる、塩味の丼
トマトと海藻の丼

トマト 1個
めかぶ、もずく(生。洗う) 計½カップ
しょうが汁 1かけ分
ごはん 丼2杯分
塩 少々
青じそ(せん切り) 2枚
刻みのり 適量

1 トマトは皮を湯むきし、へたをとる。
種が多い場合はとり除き、ざく切りにする。
塩味をはっきりと感じられるくらいに塩をふって混ぜる。
2 めかぶともずくは、しょうが汁と塩で味つけする。
3 ごはんを器に盛って2と1をのせ、青じそと刻みのりをのせる。

※しょうがは、手に入れば新しょうがを使うと、よりさわやかな味わいに。
その場合、すりおろした汁ではなく、せん切りを使います。

煮たピーマンは独特なおいしさ。1個をぺろりと食べられます

ピーマンとエリンギのまるごと煮

ピーマン（緑）　4個
エリンギ　4本
　（大きければ横半分に切る）
ごま油　小さじ1
しょうゆ　大さじ2強
水　1½カップ
黒粒こしょう　小さじ¼

1　鍋にごま油を熱してピーマンとエリンギを炒め、しょうゆと水を加える。汁気がほとんどなくなるまでじっくりと15～20分煮る。
2　仕上げに粗く砕いた黒粒こしょうを加える。

見た目も味も、肉詰めのよう。麩を加えてボリュームアップします
ピーマンのきのこみそ詰め焼き

ピーマン(赤、緑) 各2個
オリーブ油、塩 各少々
生しいたけ(みじん切り) 5枚
玉ねぎ(みじん切り) 1/4個
ごま油 小さじ2
麩(細かく砕く) 1/4カップ
麦みそ 大さじ3

1 ピーマンは縦半分に切り、種をとり除く。
内側と外側にオリーブ油と塩を塗る。
2 フライパンにごま油を熱し、しいたけと玉ねぎを炒める。
麩を加えてさらに炒め、麦みそを加え混ぜる。
3 1に2を詰める。200℃のオーブンでおいしそうな焼き色がつくまで
8分ほど焼く(オーブントースターで焼いてもいい)。

生のピーマンがたくさん食べられる一品。お好きな食べ方でどうぞ
生ピーマンとめかぶのたたき

A ┌ ピーマン（緑。種とへたをとってみじん切り） 2個
　├ めかぶ（生。洗う） 50g（1パック）
　├ 青じそ（みじん切り） 5枚
　└ みょうが（みじん切り） 1個
しょうゆ 小さじ1強（好みで加減）
塩 小さじ1/2弱

1 Aを混ぜ合わせ、しょうゆ、塩で味をととのえる。

※薄くスライスした長いもにのせたり、納豆に混ぜて食べるとおいしい。
または、そのままお酒のおつまみにしたり、
常備菜感覚でごはんにのせて食べてもいけます。

赤ピーマンの甘みを生かした、色も鮮やかなスープ
赤ピーマンといんげん豆のスープ

にんにく（つぶす） 1かけ
オリーブ油 小さじ2
玉ねぎ（薄切り） 1/4個
ピーマン（赤。縦に4等分する） 2個
ミニトマト（へたをとる） 8個
赤唐辛子（輪切り） 1/2本（好みで加減）
水 1 1/2カップ
ゆでた白いんげん豆（P.12） 1/4カップ
塩、こしょう 各少々
パセリ（みじん切り） 適量
オリーブ油 適量

1 鍋にオリーブ油小さじ2とにんにくを入れ、弱火でじっくりと熱する。
いい香りがしてきたら玉ねぎを加えてややきつね色になるまで炒め、
赤ピーマン、ミニトマト、赤唐辛子を加えてさらに炒める。
水1/2カップ、塩を加え混ぜてふたをし、5分ほど蒸し煮する。
2 1をミキサーまたはフードプロセッサーにかけてなめらかにし、鍋にもどす。
水1カップと白いんげん豆を加えて沸騰させ、
沸騰後さらに2〜3分煮て、塩、こしょうで味をととのえる。
3 器に盛り、パセリをふる。オリーブ油をたらしていただく。

直火で焼くことで、ピーマンの甘みがいっそう際立ちます

焼きピーマンのとろろ丼

ピーマン(緑) 4個
A ┌ 水、しょうゆ 各大さじ2
　│ 米酢 大さじ1
　└ しょうが汁 小さじ1
ごはん 丼2杯分
長いも(すりおろす) 5cm

1 ピーマンは直火または魚焼き器で真っ黒になるまで焼き、熱いうちに薄皮をむく。種とへたをとり除き、縦に4等分する。
2 Aを混ぜ合わせ、1を漬ける。
3 器にごはんを盛り、2の漬け汁を小さじ2ずつかける。長いもとろろをかけ、ピーマンをのせる。

※紅しょうがを添えても、よく合います。

フルーティーな甘みとコク、しょうゆ味が奏でる不思議なおいしさ

なすと焼き豆腐の甲州煮

しょうが(薄切り) 3枚
ごま油 大さじ1½
なす(乱切り) 小2本
赤ワイン ⅔カップ
　(甘口。国産の無添加のもの)
しょうゆ 大さじ2½
焼き豆腐(4cm角切り) ½丁

1 鍋にごま油を熱してしょうがを炒め、いい香りがしてきたらなすを加え、なすが柔らかくなるまでじっくりと3〜4分炒める。
2 1に赤ワインとしょうゆを加え、焼き豆腐を加える。ときどき鍋をゆすって全体を混ぜながら、汁気が少なくなるまで煮る。

※甘口の赤ワインを使うのがポイント。
砂糖を使わずに、独特な甘みとコクのある煮ものがつくれます。
ない場合は、渋みの少ない赤ワインに味をみながら
メープルシロップなどを加えて代用してください。

夏向けの一品。蒸しなすの甘みにピリッと辛い海藻がよく合います

冷やしなすのピリカラ海藻かけ

なす 2本

A
- めかぶ、もずく 計1/4カップ（生。洗う）
- しょうゆ 大さじ1½
- 万能ねぎ（小口切り） 5本
- しょうが（すりおろす） 小さじ1
- にんにく（すりおろす） 小さじ½
- すりごま（白） 小さじ2
- 粉唐辛子 小さじ1（好みで加減）
- 塩 少々

1 なすはまるごと柔らかくなるまで15分ほど蒸す。冷蔵庫で冷やす。
2 1を縦に6等分して器に盛る。混ぜ合わせたAをかける。

すぐにできるなすの漬けもの。肉にも似た歯ごたえが新鮮
なすのシリア風ワインビネガー漬け

なす 小さめ2本
塩 小さじ1
白ワインビネガー 大さじ1強

1 なすは4〜5cm長さの大きめの拍子木切りにし、塩を全体にまぶして5分ほどおく。
2 1をきつく絞り、ワインビネガーを混ぜる。

※なすの水分を完全に絞るのがポイントです。

焼きなすの甘みを豆みそがキリリとひきたてる、変わりみそ汁
焼きなすのみそポタージュ

なす 2本
豆みそ(八丁みそ) 大さじ2
水 1½カップ
塩 少々
ラー油(好みで) 少々
炒りごま(白) 適量

1 なすは直火または魚焼き器かオーブントースターで、まるごと柔らかくなるまで焼く。皮をむき、へたをとり除く。
2 1と豆みそ、水をミキサーまたはフードプロセッサーにかけてなめらかにし、塩で味をととのえる。
3 冷蔵庫で冷やす。器に盛ってラー油をたらし、炒りごまをふる。

※万能ねぎを散らしてもいい。

ひき肉と見まがう見た目。味わい、ボリュームともに満足感のある丼

精進マーボーなす丼

なす（1cm厚さの斜め切り） 2本
ごま油 大さじ3
長ねぎ（みじん切り） 1/4本
しょうが（みじん切り） 1かけ
生しいたけ（みじん切り） 5枚
にんじん（みじん切り） 3cm
A ┌ くるみ（みじん切り） 大さじ2
　├ 赤唐辛子（輪切り） 1/2本
　├ 水 2/3〜1カップ
　└ みそ、しょうゆ 各大さじ2
くず粉 小さじ2
ゆでた枝豆 適量
ごはん 丼2杯分

1 フライパンにごま油を熱し、なすを柔らかくなるまでじっくりと両面焼く。
2 なすをとり出し、残った油で長ねぎ、しょうがを炒める。いい香りがしてきたら、しいたけとにんじんも加えて炒める。
3 2にAを加えて3〜4分煮、同量の水（分量外）で溶いたくず粉を加えてとろみをつけ、なすと枝豆を加える。
4 器にごはんを盛り、3をかける。

柔らかな、おかずのおまんじゅう。ねぎみそがかぼちゃの甘みをひきたてます

かぼちゃのねぎみそ焼きまんじゅう

蒸し煮して（P.10）つぶしたかぼちゃ
　½カップ
塩　少々
小麦粉　大さじ3
長ねぎ（小口切り）　¼本
ごま油　小さじ1
麦みそ　大さじ1
炒りごま（黒）　適量
ごま油　適量

1　かぼちゃは塩と小麦粉を加え混ぜ、8等分する。
2　フライパンにごま油小さじ1を熱して長ねぎを炒め、麦みそで味つけし、8等分する。
3　1を広げて2をのせて包み、まるく形をととのえる。表面に炒りごまを散らす。
4　フライパン（フッ素樹脂加工のものが向く）にごま油を熱し、3を両面こんがりと焼く。

そば米を使ってひき肉そぼろ風に。焼いたかぼちゃにほのかなそばの甘みがマッチ

かぼちゃソテー そば米あんかけ

かぼちゃ（薄いくし形切り） 1/8個
塩、こしょう 各少々
油 適量
A ┌ そば米◎（洗う） 大さじ2
　├ 生しいたけ（みじん切り） 3枚
　└ しょうが（みじん切り） 1/2かけ
ごま油 小さじ2
水 1カップ
しょうゆ 大さじ1 1/2
くず粉 小さじ2

◎ 殻をとり除き、加熱加工したそばの実。

1 かぼちゃに塩、こしょうをする。
フライパンに油を熱し、かぼちゃを両面こんがりと焼く。
2 鍋にごま油を熱し、Aを炒める。
水、しょうゆを加え、そば米が柔らかくなるまで5分ほど煮る。
同量の水（分量外）で溶いたくず粉を加えてとろみをつける。
3 器に1を盛り、2をかける。

※そば米は栄養豊富な上、すぐ火がとおる便利な素材。ひき肉に似た食感です。
ゆでてサラダに加えたり、汁ものに加えてもおいしい。
※そば米が加熱加工されていない場合は、前もってフライパンでから炒りし、
煮る時間を長めにしてください。

にんじん同様、生のかぼちゃはせん切りサラダ向き。甘みと歯ざわりが魅力
生かぼちゃと香味野菜のサラダ

Ⓐ
- かぼちゃ(せん切り) 1カップ
- 青じそ(せん切り) 10枚
- みょうが(せん切り) 1個
- 長ねぎ(せん切り) 5cm

ドレッシング
  米酢、油 各大さじ1
  レモン汁、しょうゆ 各小さじ1
  すりごま(白) 大さじ1½
  塩 小さじ½

1 Aを混ぜ合わせて器に盛る。
2 ドレッシングの材料を混ぜ合わせ、1全体にかけていただく。

※かぼちゃのせん切りは、かぼちゃをスライサーでスライスしてから包丁で切るとかんたんにできます。

ごはんで手軽にとろみづけ。心なごむ、ほっとする味わいです
かぼちゃのおかゆスープ

Ⓐ
- 蒸し煮して(P.10)つぶしたかぼちゃ ⅓カップ
- ごはん 茶碗½杯分
- 水 1½カップ

塩 小さじ½

1 Aをミキサーまたはフードプロセッサーにかけてなめらかにする。
2 1を鍋に入れ、鍋底から混ぜながら2〜3分煮て、塩で味をととのえる。

※黒炒りごまをふってもいい。

かぼちゃの甘みとピーナッツのコクがマッチ。具だくさんのうれしいごはん
かぼちゃとピーナッツの中華風炊き込みごはん

A
- 干ししいたけ 2枚
  （もどして粗みじん切り）
- 長ねぎ（みじん切り） 8cm
- しょうが（みじん切り） 1/2かけ

ごま油 小さじ2
米（洗ってざるに上げておく） 1合

B
- かぼちゃ（1cm角切り） 1/2カップ
- ピーナッツ 1/4カップ弱
- 水 1カップ
- しょうゆ 大さじ1
- 五香粉 小さじ1/4
- 塩 少々

香菜 適宜

1 フライパンにごま油を熱し、Aを炒める。いい香りがしてきたら米を加えて全体に油がまわるくらいに炒め、Bを加えて、炊飯器に移し入れて炊く。
2 器に盛り、好みで香菜を飾る。

さつまいもの甘みとしっとり感を生かしてつくる、砂糖いらずのおいしいおから煮
さつまいものおから煮

おから、豆乳　各½カップ
さつまいも（1cm角切り）　1本
白菜（ざく切り）　3枚
ごま油　小さじ2
水　1½カップ
しょうゆ　大さじ3
しょうが汁　1かけ分
塩　少々
万能ねぎ（小口切り）　3本

1　おからは豆乳に浸しておく。
2　鍋にごま油を熱してさつまいもと白菜を炒め、水を加えてさつまいもが柔らかくなるまで7～8分煮る。1としょうゆ大さじ2を加え、汁気が少なくなるまでさらに12分ほど煮る。
3　仕上げにしょうが汁を加えて、しょうゆ大さじ1、塩で味をととのえ、万能ねぎを混ぜる。

ほくほくとした甘さに、しょうがが隠し味。衣にとろろを使うヘルシーコロッケ

さつまいものミニコロッケ

さつまいも 1本
A ┌ 玉ねぎ(みじん切り) 1/4個
　├ 生しいたけ(みじん切り) 3枚
　└ しょうが(みじん切り) 大さじ1½
油 小さじ2
しょうゆ 小さじ1
塩 小さじ½
すりごま(白) 大さじ2
小麦粉 適量
長いも(すりおろす) 5cm
パン粉 適量
揚げ焼き用の油 適量

1 さつまいもは蒸し煮し(P.10)、つぶす。
2 フライパンに油を熱してAを炒め、しょうゆ、塩で下味をつけて、すりごまを加える。1に加え混ぜて6等分する。
3 小判形にととのえ、小麦粉、長いものとろろ、パン粉の順に衣をつける。
4 フライパンに油を深さ1cmほど入れて熱し、3を入れる。きつね色に揚げ焼きする。

さつまいもはすりおろしても使えます。ほのかな甘みがしみじみおいしい

さつまいものすり流し汁

A ┌ ごぼう（ささがき） 5cm
　├ 大根（拍子木切り） 3cm
　└ 生しいたけ（薄切り） 2枚
ごま油 小さじ1
水 2½カップ
しょうゆ 大さじ1強
塩 小さじ½
さつまいも ¼本
しょうが汁 小さじ1

1 鍋にごま油を熱してAを炒め、水を加える。
野菜が柔らかくなるまで5分ほど煮る。
2 しょうゆ、塩を加えて火を強め、沸騰したら
さつまいもを鍋の上からすりおろして加え、かき混ぜてとろみをつける。
味見をして薄ければ、さらに塩を適宜加え、仕上げにしょうが汁を加える。

※さつまいもは変色しやすいので、直接鍋の中にすりおろします。

砂糖を加えなくても、さつまいもの自然な甘みでおいしく仕上がります

さつまいものしょうゆきんぴら

さつまいも 1本
ごま油 小さじ2
しょうゆ 大さじ1強
赤唐辛子（輪切り） ½本
炒りごま（黒） 適量

1 さつまいもは4cm長さの拍子木切りにする。
フライパンにごま油を熱し、弱めの中火でさつまいもを
火がとおるまでじっくりと3〜4分炒める。
2 しょうゆと赤唐辛子を加え、炒りごまをふって仕上げる。

さつまいもの甘みにカレー風味でアクセントをつけます
さつまいものカレーリゾット

にんにく（みじん切り） 1かけ
オリーブ油 大さじ1
玉ねぎ（みじん切り） 1/4個
さつまいも（1.5cm角切り） 1本
米（洗ってざるに上げておく） 1/2カップ
Ⓐ ┌ トマト（ざく切り） 1個
　│ 水 1カップ
　│ 白ワイン 1/2カップ
　│ カレー粉 小さじ1
　└ 塩 小さじ1/2
しょうゆ、塩 各少々
イタリアンパセリ（みじん切り） 適宜

1 鍋にオリーブ油とにんにくを入れ、弱火でじっくりと熱する。いい香りがしてきたら玉ねぎを加えてややきつね色になるまで炒め、さつまいも、米を加えてさらに炒める。
2 米が透きとおってきたらAを加え、ときどきかき混ぜながら米がアルデンテの状態（中心にやや芯が残る程度の柔らかさ）になるまで弱火で15分ほど煮る。隠し味にしょうゆを加え、塩で味をととのえる。
3 器に盛り、あればイタリアンパセリを散らす。

肉を加えなくても大満足。甘酒が品のある甘みとコクを醸します

精進すき焼き

油揚げ 1/2枚
しらたき 1/4袋
まいたけ（適当にさく） 1/2パック
しめじ（適当にさく） 1/4パック
長ねぎ（斜め切り） 1/2本
油 小さじ1
Ⓐ 甘酒（無加糖のもの） 1/2カップ
　 しょうゆ 大さじ4〜5
万能ねぎ（ざく切り） 適量

1　油揚げは熱湯をさっとかけて油抜きし、適当に切る。しらたきは熱湯でさっとゆでて、適当に切る。
2　浅めの鍋に油を熱し、まいたけ、しめじ、長ねぎを炒める。
3　長ねぎにおいしそうな焦げめがついたらAを加え、1も加えて5分ほど煮る。仕上げに万能ねぎを加えてさっと煮る。

開くと周囲がいい香りでいっぱいに。きのこから出る汁は麩が残さず吸う仕組み

きのこの紙包み焼き

好みのきのこ2〜3種 計約1カップ
　(しめじ、マッシュルーム、まいたけ、
　　エリンギなど。適当にさく、または切る)
A ┬ 麩(粗く砕く) 1/4カップ
　├ にんにく(みじん切り) 1かけ
　├ 塩 小さじ1/2
　└ オリーブ油 大さじ1
フレッシュハーブ 適量
　(ローズマリー、オレガノ、タイムなど)
水溶き小麦粉 適量

1 適当な大きさに切ったクッキングシートの
手前半分にきのこをのせる。
Aを混ぜ合わせてきのこ全体にまぶし、フレッシュハーブをのせる。
2 クッキングシートを奥側からたたんできのこを包み、
空気がもれないように水溶き小麦粉で周囲をとめて折り込む。
220℃のオーブンでクッキングシートがふくらむまで10分ほど焼く。

きのこをたたくと肉っぽい食感に。お酒にも合うスパイシーな味わい

きのこナゲット

生しいたけ 3枚
エリンギ 2本
A ┌ しょうゆ 大さじ1弱
　 │ しょうが汁 小さじ1
　 └ コリアンダーパウダー 小さじ1/2弱
小麦粉 大さじ3
油 適量

1 しいたけ、エリンギは縦半分に切り、
すりこぎまたはめん棒などでたたいて細かくつぶす。
2 1をAで味つけし、小麦粉を加えてまとめる。
3 フライパンに油を熱し、2をひと口大に落として両面をこんがりと焼く。

コクがあってクリーミー。しいたけは豆乳とよく合います

しいたけの豆乳ポタージュ

A ┌ 生しいたけ（薄切り） 5〜6枚
　 │ 玉ねぎ（みじん切り） 1/4個
　 └ 長いも（5mm厚さの輪切り） 3cm
油 小さじ2
水 1 1/2カップ
豆乳 1カップ
塩 少々

1 鍋に油を熱してAを炒め、水を加える。
長いもが柔らかくなるまで10分ほど煮る。
2 1をミキサーまたはフードプロセッサーにかけてなめらかにし、
鍋にもどす。豆乳を加えて温め、塩で味をととのえる。

具だくさんなのに手軽。炒めた具をポン酢に浸してごはんに混ぜます

きのこと根菜のポン酢ずし

米 2合
油揚げ ½枚
A ┌ ごぼう(ささがき) 5cm　にんじん(せん切り) 3cm
　│ しめじ(適当にさく) 1パック
　└ えのきだけ(3cm長さに切る) 1袋
ごま油 小さじ1
B ┌ 炒りごま(白。刻む) 大さじ2
　└ 万能ねぎ(小口切り)、ゆずの皮(せん切り) 各適量
ポン酢
　米酢 大さじ1
　かんきつ類の絞り汁 大さじ1
　　(ゆず、すだち、レモンなど)
　薄口しょうゆ 大さじ1
　塩 小さじ½

1 米は少し固めに炊く。
2 ポン酢の材料を混ぜ合わせる。
3 油揚げは熱湯をさっとかけて油抜きし、せん切りにする。
　フライパンにごま油を熱し、Aを順に加えて炒め、
　油揚げも加え炒めて、2をかける。
4 ごはんが炊けたら3を汁ごと加え混ぜ、Bを散らす。

きのこ　59

揚げ焼きしたれんこんにさっぱりしたソースがしみ込んだ、ごはんに合う味

れんこんソテー ねぎソースかけ

れんこん（1cm厚さの輪切り） ½節
かたくり粉 適量
油 適量
ねぎソース
　万能ねぎ（小口切り） 4〜5本
　すりごま（白） 小さじ2
　水 大さじ3
　しょうゆ、酢 各大さじ1

1　ビニール袋にれんこんとかたくり粉を入れ、ふり混ぜる。
2　フライパンに多めに油を熱し、1を両面こんがりと焼く。
3　ねぎソースの材料を混ぜ合わせ、2が熱いうちにかける。

すりおろしたれんこんでつくる、つなぎいらずのお好み焼き。やさしい口あたり
れんこんのお好み焼き

納豆 50g(1パック)
Ⓐ しょうゆ、ごま油 各小さじ1
　粉唐辛子(好みで) 少々
れんこん 1/2節
塩 少々
油 適量
にら(細かく刻む) 1〜2本
たれ
　レモン汁、しょうゆ 各大さじ1

1 納豆にAを混ぜておく。
2 れんこんはすりおろし、塩で下味をつける。
3 フライパン(フッ素樹脂加工のものが向く)に油を熱し、2をスプーンで落として小さな円形にする。1とにらをのせ、両面をこんがりと焼く。
4 レモン汁としょうゆを混ぜ合わせたたれでいただく。

炒めたれんこんが香ばしい。ナッツでコクとボリュームを出します
れんこんとナッツの辛味炒め

A 長ねぎ(みじん切り) 10cm
　　しょうが(みじん切り) 1/2かけ
ごま油 小さじ2
れんこん(乱切り) 1/2節
カシューナッツ 1/4カップ
きくらげ(もどして適当に切る) 2〜3枚
B しょうゆ 小さじ2
　　トウバンジャン 小さじ1
　　塩 少々
万能ねぎ(適当に切る) 適量

1 フライパンにごま油を熱してAを炒め、
いい香りがしてきたられんこん、カシューナッツ、きくらげを加えて炒める。
2 Bで味つけし、仕上げに万能ねぎを加える。

れんこんのやさしい甘みととろみが素直に伝わる汁ものです
れんこんの冷やしすり流し汁

れんこん(すりおろす) 1/3カップ
水 1 1/2カップ
生しいたけ 小2枚
塩 少々
青のり 適量
梅干(種をとり、細かくたたく) 1個

1 鍋にれんこんと水を入れて火にかけ、混ぜながらとろみがつくまで加熱する。
2 しいたけは石づきをとり除き、傘を下にしてフライパンに置き、
軸の上面に塩をのせる。ふたをして塩が溶けるまで焼き、適当に切る。
3 1に2を加え、ミキサーまたはフードプロセッサーにかけて
なめらかにし、塩で味をととのえる。
4 冷蔵庫で冷やす。器に盛って青のりをふり、梅肉をのせる。

気軽につくれるシンプルなおすし。黄色と白の美しいコントラストも魅力

れんこんずし

米　1合
れんこん（薄い半月切り）　小1節
菊の花（ほぐす）　5〜6個
米酢　少々
赤梅酢　大さじ1強
炒りごま（白。刻む）　大さじ2

1　米は少し固めに炊く。
2　れんこんは米酢を加えた熱湯でさっとゆでて水気を切り、梅酢少々（分量外）をふりかけておく。菊の花は米酢を加えた熱湯でさっとゆでてさっと水にとり、水気を切って梅酢少々（分量外）をふりかけておく。
3　すし飯をつくる。1に味をみながら梅酢をふり、切りごまを加え混ぜる。
4　器に3を盛り、2を飾る。

※菊の花は色合いが美しいだけでなく、ビタミンAを含むなど栄養的にも優れています。彩りを楽しみつつ積極的に料理にとり入れたい素材です。
※木の芽を飾っても美しい。

大根そのものの甘みや香り、みずみずしさを堪能できます
大根の塩味グリル

大根（1.5cm厚さの半月切り）　6cm
オリーブ油　大さじ1
塩　少々
にんにく（粗みじん切り）　1かけ

1　天板にオーブンシートを敷き、オリーブ油と塩を
全体にまぶしつけた大根を置いて、大根の表面ににんにくをのせる。
同サイズのもう1枚の天板を上からかぶせ、220℃のオーブンで20分ほど焼く。
2　かぶせた天板をはずし、ふたたび200℃のオーブンで
おいしそうな焼き色がつくまで5分ほど焼く。

※ふたをしたフライパンで、弱火でじっくりと両面を焼いてもおいしい。

ほっとする"おかあさんの味"。煮返すとさらにおいしくなります

けんちん煮

木綿豆腐　1/2丁
A ┌ 大根（1cm厚さのいちょう切り）　10cm
　├ にんじん（5mm厚さのいちょう切り）　3cm
　└ 里いも（7〜8mm厚さの輪切り）　2個
ごま油　大さじ1
水　1/2カップ
しょうゆ　大さじ2
塩　少々
万能ねぎ（小口切り）　適量

1　鍋に湯を沸かし、豆腐をくずし入れる。
ふたたび沸騰したらざるに上げ、皿で10分ほど重しをして水気を切る。
2　鍋にごま油を熱し、Aと1を順に加えて炒める。
水を加えてふたをし、5分ほど煮る。
3　ふたをはずしてしょうゆと塩を加え、
煮汁がほとんどなくなるまでさらに煮る。
4　器に盛り、万能ねぎを散らす。

大根のみずみずしさにぶどうの甘みが合う、目にもさわやかなあえもの

菊の花とぶどうのみぞれあえ

菊の花（ほぐす） 5個
マスカット 12粒
大根（すりおろす） 1カップ
レモン汁 小さじ2
塩 小さじ½

1 菊の花は米酢少々（分量外）を加えた熱湯でさっとゆでてさっと水にとり、水気を軽く絞る。マスカットは皮をむいて半分に切り、種をとり除く。
2 大根おろしは水気を軽く絞り、レモン汁と塩を加え混ぜる。
3 2で1をあえる。

※ぶどうは巨峰やピオーネ、デラウエアなども向きます。

「かぶら蒸し」に似せた蒸しもの。大根の甘みがふんわり伝わります

精進大根蒸し

油揚げ ¼枚
大根（すりおろす） 5cm
長いも（すりおろす） 2cm
塩 少々
しめじ（適当にさく） ⅛パック
甘栗 4個
ゆでぎんなん 2個
おろしわさび 適量
くずあん
　┌ 水 ½カップ
A│ しょうゆ 大さじ1
　└ 塩 少々
　くず粉 小さじ1

1 油揚げは熱湯をさっとかけて油抜きし、ひと口大に切る。
2 大根おろしは水気を軽く絞り、長いものとろろと混ぜ、塩を加える。
3 耐熱の器にしめじ、1、甘栗を入れて2をふんわりとのせ、ぎんなんをのせる。強めの中火で12分ほど蒸す。
4 くずあんをつくる。鍋にAを入れて火にかけ、沸騰したら同量の水（分量外）で溶いたくず粉を少しずつ加えてとろみをつける。3にかけ、おろしわさびをのせる。

※甘栗のかわりに、蒸し煮したさつまいもを小さく切って入れてもおいしい。

大根の即席漬けをおすしに。しんなりした大根も独特なおいしさ

大根の押しずし

米 1合
大根（薄い半月切り）
　　100g（約5cm）
塩 小さじ½
米酢 大さじ1
大根の葉 適量
塩 少々
赤梅酢 大さじ1強
炒りごま（白。刻む） 大さじ2
おぼろ昆布 適量

1 米は少し固めに炊く。
2 大根は塩小さじ½をまぶして10分ほどおいてから水気を絞り、
　米酢をふりかけておく。大根の葉は塩少々を加えた熱湯で
　さっとゆでてさっと冷水にとり、水気を切ってみじん切りにし、塩少々をふっておく。
3 すし飯をつくる。1に味をみながら梅酢をふり、切りごまを加え混ぜる。
4 押しずしの型（23cm×5cmのものを使用）にラップを敷く。2の大根を、
　ペーパータオルで水気を吸いとって型の底に並べ、
　おぼろ昆布を薄く重ねる。3を型の高さまで平らに入れて押す。
5 型からはずして食べやすい大きさに切り分け、2の大根の葉を飾る。

※押しずしの型は、適当な容器で代用してもかまいません。

肉っぽい食感と味わいが楽しめる、ヘルシーバーグ
黒豆のベジバーグ

ゆでた黒豆(P.12) 1カップ
しょうが(みじん切り) 1かけ
玉ねぎ(みじん切り) 1/4個
オリーブ油 小さじ1
生しいたけ(みじん切り) 4〜5枚
くるみ(みじん切り) 大さじ2
A みそ 小さじ1 塩 小さじ1/2
　 コリアンダーパウダー(好みで) 小さじ1/2
小麦粉、パン粉 各1/4カップ
油 適量
ソース
　トマトピューレ 大さじ2
　レモン汁 1/4個分
　タバスコ、塩 各少々

1 ゆでた黒豆はつぶす。
2 フライパンにオリーブ油を熱し、しょうが、玉ねぎを少し色づくまでじっくりと炒める。しいたけとくるみを加えて炒め、Aで味つけする。
3 1と2を混ぜ、小麦粉、パン粉も加えて練り合わせる。8〜10等分して、小判形にととのえる。
4 フライパンに油を熱し、3を両面こんがりと焼く(180〜190℃のオーブンで12分ほど焼いてもいい)。ソースの材料を混ぜ合わせて添える。

※レタスと一緒にパンに挟んでサンドイッチにしてもおいしい。

豆の滋味をシンプルに味わう一品。ドライトマトがアクセント
金時豆のお焼き

ゆでた金時豆　1カップ
　（P.12。ゆで汁も小さじ2分残しておく）
ドライトマト　3〜4個
A ┌ 小麦粉　大さじ1〜2
　├ 塩　少々
　└ イタリアンパセリ（みじん切り）　少々
オリーブ油　適量

1　ゆでた金時豆はビンの底などでつぶす。
2　ドライトマトは湯に10分ほど浸してもどし、水気を切ってざく切りにする。
3　1に2と金時豆のゆで汁、Aを加え混ぜて10〜12等分し、まるく形をととのえる。
4　フライパンにオリーブ油を熱し、3を両面カリッと焼く。

ゆですぎず歯ごたえを残すのがコツ。かむほどに豆の味が広がります
ひたし豆の辛子じょうゆ漬け

ひたし豆◎ 1/4カップ
A しょうゆ 大さじ3〜4
　 練り辛子 小さじ1〜2
◎ 大豆系の青みがかった豆。

1　鍋にひたし豆を入れ、3〜4倍量の水をそそいで一晩おく。
　そのまま火にかけ、沸騰したらあくをとって10分ほどゆで、ざるに上げる。
2　熱いうちにAであえ、密閉容器に入れる。
　ときどき混ぜながら冷蔵庫で保存する(1時間後くらいから食べごろ)。

きなこを溶き入れるだけで、栄養たっぷりのおいしい汁ものが瞬時にできます
きなこ汁

ごぼう(ささがき) 5cm
ごま油 小さじ1
A　大根(短冊切り) 3cm
　　にんじん(短冊切り) 2cm
　　水 2カップ
油揚げ(短冊切り) 1/4枚
しょうゆ 大さじ1
塩 小さじ1/2
きなこ 大さじ3
万能ねぎ(小口切り) 適量

1　鍋にごま油を熱してごぼうを炒める。
　いい香りがしてきたらAを加え、野菜が柔らかくなるまで5分ほど煮る。
2　油揚げを加え、しょうゆ、塩で味をととのえる。
　仕上げにきなこを加え混ぜ(少量の煮汁で溶きのばしてから加えると、
　ダマになりにくい)、万能ねぎを散らす。

"だし"いらずのおいしさを実感してください。豆の種類が多いほど楽しい

豆のパエリア

にんにく（みじん切り） 2かけ
オリーブ油 大さじ2
玉ねぎ（みじん切り） 1/2個
米（洗ってざるに上げておく） 1合
A ┌ ゆでた豆2〜3種 計1カップ
  │   （P.12。金時豆、ひよこ豆など）
  │ ピーマン（赤。5mm角切り） 2個
  │ グリーンピース 大さじ3
  └ 赤唐辛子（輪切り） 1/4本
B ┌ 白ワイン、水 各1/2カップ
  │ ローリエ 1枚
  └ 塩 小さじ1 こしょう 少々

1 浅めで厚手の鍋にオリーブ油とにんにくを入れ、弱火でじっくりと熱する。いい香りがしてきたら玉ねぎを加えてややきつね色になるまで炒め、さらに米を加えて炒める。
2 米が透きとおってきたらAを加えて全体に油がまわるくらいに炒め、さらにBを加え混ぜて、ふたをする。
3 沸騰したら弱火にして15分ほど煮る。火からおろし、さらに10分ほど蒸らす。

※イタリアンパセリを散らしてもいい。

豆腐にあえてすを入れて、ほかの素材のうまみをしみ込ませます

豆腐の精進す入りおでん

だし用昆布（半分に切る）　10cm角
里いも（皮をむく）　2個
大根（1cm厚さの半月切り）　5cm
水　4カップ
木綿豆腐（縦に4等分する）　1丁
Ⓐ　しょうゆ　大さじ2
　　塩　小さじ1
練り辛子　適量

1　厚手の鍋に昆布を敷いて里いも、大根を入れ、水をそそいで7～8分煮る。
2　豆腐とAを加えてふたをし、中火で20分ほど煮る（豆腐にすを入れる）。
3　練り辛子を添えていただく。

※時間があれば、いったん冷ましてから煮返すと、さらに味がしみておいしくなります。

コクのあるおいしさ。使いみちの多いおそうざいです
厚揚げの焼き豚風

厚揚げ 1枚
A ┏ しょうが（薄切り） 3枚
　┃ 八角 1〜2かけ
　┃ 水 2/3カップ
　┃ 酒 大さじ2
　┃ しょうゆ 大さじ1 1/2
　┗ ごま油 小さじ1/2
サニーレタス 適量
練り辛子 適量

1 厚揚げは熱湯をさっとかけて油抜きする。
2 厚揚げがちょうど入るくらいの大きさの鍋に1とAを入れ、火にかける。沸騰したら火を弱め、アルミホイルまたはクッキングシートに穴をあけたもので落としぶたをし、煮汁がほとんどなくなるまで10分ほど煮る。
3 冷めたら薄切りにし、サニーレタスを敷いた器に盛る。練り辛子を添える。

※焼き豚のかわりにラーメンに入れたり、サンドイッチの具にしてもおいしい。
お弁当のおかずや、お酒のおつまみにもおすすめです。

冷ややっこをもっとおいしく丼仕立てに。食欲のない日でもいけます
豆腐のぶっかけ丼

木綿豆腐　1/2丁
大根（すりおろす）　適量
ごはん　丼2杯分
好みの漬けもの　大さじ2
　（たくあん、きゅうりの
　　古漬けなど。みじん切り）
しょうが（すりおろす）　1/2かけ
万能ねぎ（小口切り）　1〜2本
しょうゆ　適量

1　豆腐はざるにくずし入れ、自然に水気を切っておく。
　大根おろしは水気を軽く絞る。
2　器にごはんを盛って漬けものをのせ、
　さらに1としょうがをのせて万能ねぎを散らす。
3　しょうゆをかけ、全体を混ぜていただく。

チーズのようなコクがある、ヘルシーディップ
豆腐のみそディップ

木綿豆腐　1/2丁
A ┌ 麦みそ　大さじ2 1/2
　│ オリーブ油　大さじ1
　└ レモン汁　小さじ1/2
炒りごま（黒）　適量
青のり　適量
好みの野菜スティック　適量
　（にんじん、きゅうり、セロリなど）

1　鍋に湯を沸かし、豆腐をくずし入れる。
　ふたたび沸騰したらざるに上げ、皿で5分ほど重しをして水気を切る。
2　1にAを加え、フードプロセッサーにかけてなめらかにする。
3　器に分け入れ、炒りごま、青のりをそれぞれふる。
　野菜スティックにつけていただく。

※クラッカーや、薄くスライスしたバゲットなどにのせてもおいしい。

卵のかわりに、淡い口あたりの豆腐を入れて。しみじみと温まります

豆腐の精進茶碗蒸し

ほうれん草 少々
にんじん（太めのせん切り） 少々
しめじ（適当にさく） 1/6パック
おぼろ豆腐 1/2丁
塩、しょうゆ 各少々
しょうが（すりおろす） 少々
くずあん
　水 1/2カップ
　しょうゆ 小さじ2
　くず粉 小さじ1

1　ほうれん草は塩を加えた熱湯でさっとゆでてさっと冷水にとり、水気を切って適当に切る。にんじんは塩を加えた熱湯でさっとゆでて水気を切る。
2　1としめじを合わせ、しょうゆをふりかけて混ぜておく。
3　豆腐に塩をふって器に分け入れる。豆腐に2を見た目よくさし込み、強めの中火で10分ほど蒸す。
4　くずあんをつくる。鍋に水としょうゆを入れて火にかけ、沸騰したら同量の水（分量外）で溶いたくず粉を少しずつ加えてとろみをつける。
5　3に4をかけ、しょうがをのせる。

コクがある中華風。一緒に煮込んで切干大根のうまみをお米にしみ込ませます
切干大根のおかゆ

A ┌ 米（洗う）　1/2カップ
　├ 水　3カップ
　├ 切干大根　ひとつかみ
　│　（キッチンばさみで適当に切る）
　├ ごま油　大さじ2
　└ 塩　少々
塩、しょうゆ　各適宜

1　厚手の鍋にAを入れてふたをし、火にかける。
　沸騰したら弱火にして40分ほど煮る。
　火からおろし、さらに5分ほど蒸らす。
2　好みで塩またはしょうゆを加えていただく。

切干大根とそばの甘みが詰まった、変わり大根もち
切干大根のそば粉焼き

切干大根　ひとつかみ
そば粉、水　各1/2カップ
A ┌ くるみ　大さじ2
　│　（またはピーナッツ。
　│　粗みじん切り）
　├ 万能ねぎ（小口切り）　3本
　├ ゆずの皮　1/4個
　│　（またはレモンの皮。せん切り）
　└ 塩　小さじ1/2
油　適量

1　切干大根はざるに入れてさっと水をとおし、5分ほどおく。
　柔らかくもどったら粗みじん切りにする。
2　ボウルにそば粉と水を入れてさっくりと混ぜ、1とAを加え混ぜる。
3　フライパンに油を熱し、2を食べやすい大きさの円形に流し入れて、
　両面をこんがりと焼く。

※切干大根は、精進料理の世界では"するめ"にたとえられるほど、味わい深い素材。
せっかくのうまみが逃げないように、もどす時は水に長く浸さず、
水をさっととおすだけにして、柔らかくなるまでそのままおきます。
※しょうゆを添えてもいい。

柿のフルーティーな甘みが調和した、気のきいたあえもの
切干大根と柿のごま酢あえ

切干大根　ひとつかみ
油揚げ　1/2枚
柿（せん切り）　1/4個
ごま酢
　すりごま（白）　大さじ2
　米酢、薄口しょうゆ　各大さじ1
　水　大さじ1

1　切干大根はざるに入れてさっと熱湯をかけ、5分ほどおく。
　柔らかくもどったら3cm長さに切る。
　油揚げは熱湯をさっとかけて油抜きし、せん切りにする。
2　ごま酢の材料を混ぜ合わせ、1と柿をあえる。

だしの出る素材を集めた"うまみのかたまり"のようなスープ。やさしく深い味わい
精進コンソメ

A ┌ 切干大根　ひとつかみ
　├ 干ししいたけ　2枚
　├ 炒り大豆（P.12）　大さじ3
　├ だし用昆布　5cm角
　└ 水　5カップ
塩、こしょう　各少々

1　厚手の鍋にAを入れて火にかけ、沸騰したら弱火にして40分以上煮る。
2　1を漉す。味見をして濃ければ薄め、塩、こしょうで味をととのえる。

切干大根のおかゆ　　切干大根のそば粉焼き

切干大根と柿のごま酢あえ 　　精進コンソメ

切干大根　77

ごま油のコクとさわやかな香りがマッチ。からだの芯から温まります

たぬき汁

こんにゃく 1/4枚
ごぼう(ささがき) 5cm
ごま油 小さじ1強
水 2カップ
しょうゆ 大さじ1強
塩 少々
せり(小口切り) 1〜2本
粉山椒 少々

1 こんにゃくは小さめにちぎって塩でもみ、熱湯でさっとゆでて水気を切る。
2 鍋にごま油を熱してごぼうと1を炒め、いい香りがしてきたら水を加えて4〜5分煮る。
3 しょうゆと塩で味をととのえ、せりを散らす。器に盛り、粉山椒をふっていただく。

※たぬき汁は、こんにゃくをたぬきの肉に見立てた、精進料理のひとつ。脂の多いたぬきの肉にならって、ごま油を使ってコクを出す、ユニークな汁ものです。

後をひく味つけ。サニーレタスに包んでよりヘルシーに

こんにゃくの焼き肉風

こんにゃく 1/2枚
油 適量
サニーレタス 適量
漬けだれ
　しょうゆ 大さじ1 1/2
　酒、ごま油 各大さじ1/2
　長ねぎ(みじん切り) 大さじ1
　すりごま(白) 大さじ1/2
　にんにく(すりおろす) 1/2かけ
　こしょう、赤唐辛子 各少々

1 こんにゃくは薄切りにして塩少々(分量外)でもみ、熱湯でさっとゆでて水気を切る。
2 漬けだれの材料を混ぜ合わせて1を加え、もみ込む。そのまま30分以上おいて味をしみ込ませる。
3 フライパンに油を熱し、2をおいしそうな焼き色がつくまで焼く。最後に2の漬けだれも加えてからませる。
4 サニーレタスに包んでいただく。

鶏肉のような驚きの食感。ピーナッツとスパイスがきいたクセになる味

こんにゃくの唐揚げ風

こんにゃく 1/2枚
A ┌ 水 1/4カップ
　│ しょうゆ 大さじ1
　└ しょうが(薄切り) 2枚
五香粉 小さじ1/2
コリアンダーパウダー 小さじ1/2
小麦粉、水 各大さじ3
ピーナッツ(粗みじん切り) 大さじ2
揚げ焼き用の油 適量

1 こんにゃくは小さめにちぎって塩少々(分量外)でもみ、熱湯でさっとゆでる。
2 鍋に1を入れ、炒って水分をとばす。Aを加え、汁気がなくなるまで煮る。さらに五香粉とコリアンダーパウダーを加え混ぜる。
3 ボウルに小麦粉と水を入れて混ぜ、小麦粉少々(分量外)をまぶした2とピーナッツを加え混ぜる。
4 フライパンに油を深さ1cmほど入れて熱し、3をひと口大に落とし入れる。きつね色に揚げ焼きする。

こんにゃくにとろろ昆布のうまみが合わさった、さっぱりしたあえもの

こんにゃくのとろろ昆布あえ

さしみこんにゃく 1/2枚
乾燥海藻ミックス 適量
A ┌ とろろ昆布 ひとつかみ
　│ 薄口しょうゆ 大さじ1強
　│ 米酢 小さじ1 1/2
　└ おろしわさび 小さじ1/2
スプラウト◎ 適量
◎ ブロッコリー、マスタードなどの新芽。

1 さしみこんにゃくは厚みを2等分してから薄切りにする。海藻ミックスは水に浸してもどし、水気を切る。
2 Aを混ぜ、1をあえる。器に盛り、スプラウトを飾る。

※油大さじ1を加えてあえると、サラダ風になります。

たぬき汁　　こんにゃくの焼き肉風

こんにゃくの唐揚げ風　　こんにゃくのとろろ昆布あえ

こんにゃく　79

麩はあえものに気軽に使えます。個性の強い素材とも合わせやすい
麩とクレソンの黒ごまあえ

おつゆ麩　6個
しょうゆ　少々
クレソン　1束
塩　少々
Ⓐ　すりごま(黒)　大さじ1
　　しょうゆ　大さじ½　しょうが汁　小さじ½

1　麩は湯に浸してもどし、軽く水気を絞って適当にちぎる。
　しょうゆで下味をつける。
2　クレソンは塩を加えた熱湯でさっとゆでて
　さっと冷水にとり、水気を切って適当に切る。
3　Ⓐを混ぜ合わせ、1と2をあえる。

車麩の肉っぽい食感を生かしてカツ仕立てに。フルーティーなソースが新鮮なおいしさ
車麩のみそカツ丼

車麩　2枚
Ⓐ　しょうゆ　大さじ1　しょうが汁　小さじ1
小麦粉　適量
長いも(すりおろす)　5cm
麩(細かく砕く)　適量
揚げ焼き用の油　適量
ごはん　丼2杯分
ソース
　ピーマン(赤。1cm角切り)　1個
　りんご(1cm角切り)　¼個
　ゆでたグリーンピース　大さじ2
　油　適量
　Ⓑ　麦みそ　大さじ2強　水　½カップ

1　車麩は湯に浸してもどし、水気を絞る。
　Ⓐで下味をつける。
2　1に小麦粉、長いものとろろ、砕いた麩の順に衣をつける。
3　フライパンに油を深さ1cmほど入れて熱し、2を入れる。
　きつね色に揚げ焼きする。
4　ソースをつくる。フライパンに油を熱して
　赤ピーマン、りんご、グリーンピースを炒め、
　溶きのばしたⒷを加えて全体がとろりとするまで加熱する。
5　器にごはんを盛って3をのせ、4をかける。

※小麦粉中のたんぱく質をもとにつくられる麩は、消化もいい優秀な食品。
味わいが淡白なので、実は洋風の料理にもよくなじみます。

ボリュームのある車麩に炒り大豆のうまみが加わった、満足感のある煮もの
車麩と炒り大豆の中華風煮もの

車麩　2枚
Ⓐ　水、しょうゆ　各大さじ½　しょうが汁　小さじ½
ごま油　大さじ½
Ⓑ　炒り大豆(P.12)　¼カップ
　　しょうゆ　大さじ2〜3
　　八角　1〜2かけ　水　1½カップ
香菜　適宜

1　車麩は湯に浸してもどし、
　軽く水気を絞る。Ⓐで下味をつける。
2　フライパンにごま油を熱して1を炒め、
　Ⓑを加えてふたをする。5分ほど煮たらふたをはずし、
　豆が柔らかくなり汁気がほとんどなくなるまで
　さらに10分ほど煮る。
3　器に盛り、好みで香菜を飾る。

パンのかわりに麩を使って。ワインのおつまみやスナックに最適
麩のクロスティーニ

小銭麩　適量
トマトペースト
　ミニトマト(ざく切り)　6個
　ドライトマト(湯に浸してもどし、ざく切り)　3個
　にんにく(ざく切り)　1かけ
　オリーブ油　大さじ1
　塩　少々
黒ごまペースト
　すりごま(黒)　大さじ4
　にんにく(すりおろす)　1かけ
　オリーブ油　大さじ2
　塩、しょうゆ　各少々

1　トマトペーストの材料をミキサーまたは
　フードプロセッサーにかけてなめらかにする。
2　黒ごまペーストの材料を混ぜ合わせる。
3　麩に1または2のペーストをのせ、
　オーブントースターで3〜4分焼く
　(200℃のオーブンで5〜6分焼いてもいい)。

麩とクレソンの黒ごまあえ　　車麩のみそカツ丼

車麩と炒り大豆の中華風煮もの　　麩のクロスティーニ

菜菜ごはんをさらに楽しく

あえ衣 常備菜 デザート

素材を選ばず活躍するあえ衣や、食卓をにぎやかにする常備菜は、ごはんづくりを楽にしてくれる頼もしい存在。
そして、ヘルシーでおいしい、かんたんデザートまであれば、菜菜ごはんはもっとうれしいものになります。

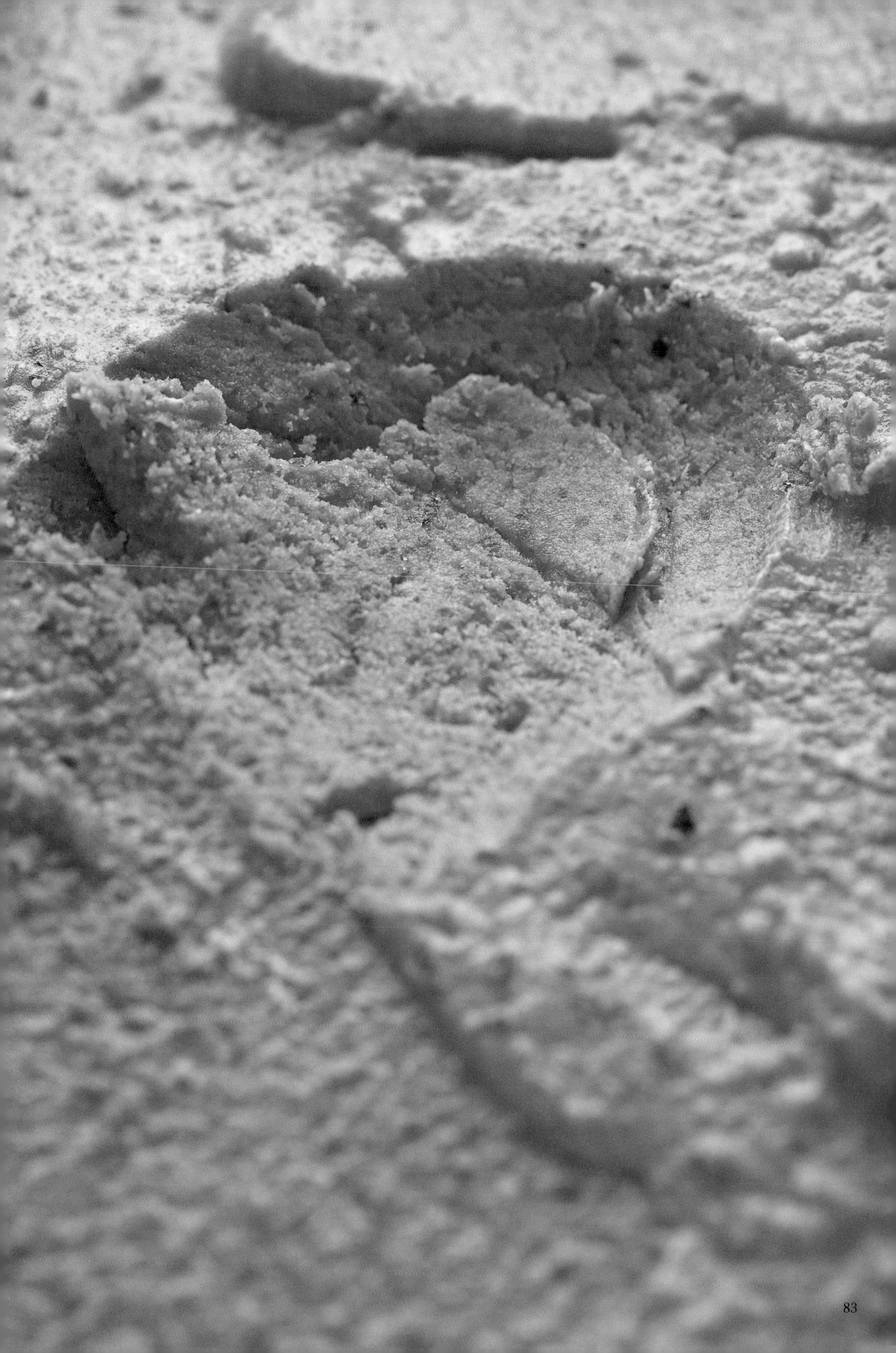

応用自在のあえ衣

さまざまな素材に合うあえ衣をいくつか知っておくと、手にした野菜ですぐに一品できて重宝します。かんたんで栄養たっぷりの4種類のあえ衣をご紹介しましょう。

大豆のうまみが凝縮されたきなこは、自然な甘みとコクが持ち味。ごまのあえ衣と同じ感覚で使えます

きなこのあえ衣

きなこ 大さじ3
水 大さじ2
しょうゆ 大さじ1弱
しょうが汁 小さじ1

すべての材料を混ぜ合わせる。

○合う素材 さつまいも、にんじん、ごぼうなどの根菜、豆、青菜、きのこなど

【たとえば……】
いんげんのきなこあえ

さやいんげん10本は塩少々を加えた熱湯でゆでて水気を切り、斜め切りにする。上記のあえ衣であえる。

【ちょっとアレンジ】
ごぼうと干し柿のきなこ酢あえ

ごぼう 12cm
干し柿 1個
A　きなこ 大さじ3　水 大さじ1
　　しょうゆ 大さじ1弱　米酢 小さじ2

1 ごぼうは3cm長さに切って縦に6〜8等分し、蒸し煮する(P.10)。干し柿はへたと種をとり除き、太めのせん切りにする。
2 Aを混ぜ合わせ、1をあえる。

適度なとろみがあるので、ドレッシングのように具になじみます

海藻のあえ衣

とろみのある海藻 ¼カップ
　（めかぶ、もずくなど。生。洗う）
しょうゆ 大さじ1
しょうが汁 小さじ1

すべての材料を混ぜ合わせる。

○合う素材　生野菜（大根、きゅうり、にんじん、かぼちゃ、かぶ、セロリ、長いも、キャベツなど）、豆など

【 たとえば…… 】
大根と菊の花の海藻あえ

大根3cmはせん切りにし、
塩少々をまぶして5分ほどおいて、水気を絞る。
菊の花3個はほぐし、米酢少々を加えた熱湯で
さっとゆでてさっと水にとり、水気を切る。
上記のあえ衣であえる。

【 ちょっとアレンジ 】
大豆の海藻あえ ゆず風味

ゆでた大豆（P.12）　½カップ
ゆずの皮（せん切り）　大さじ1
A　とろみのある海藻（上記と同）　¼カップ
　　しょうゆ 大さじ1　ゆずの絞り汁 小さじ2

1　Aを混ぜ合わせ、ゆで大豆とゆずの皮をあえる。

具にからみやすく、クセがない。
白あえのようなのどごしのよさがあります
長いもとろろのあえ衣

長いも（すりおろす）　1/4カップ
塩　小さじ1/3
しょうゆ　少々
しょうが汁　小さじ1/2

すべての材料を混ぜ合わせる。

○合う素材　生野菜（大根、にんじん、きゅうり、セロリなど）、青菜、海藻、きのこなど

【 たとえば…… 】
小松菜としめじのとろろあえ

小松菜1/4束は塩少々を加えた熱湯でさっとゆでて
さっと冷水にとり、水気を切って3cm長さに切る。
しめじ1/3パックは適当にさいて鍋に入れ、
水としょうゆ各少々を加えてさっと火をとおす。
上記のあえ衣であえる。

【 ちょっとアレンジ 】
せん切り野菜のとろろ酢あえ

大根（せん切り）　3cm
にんじん（せん切り）　3cm
きゅうり（せん切り）　1/2本
塩　少々
A ┬ 長いも（すりおろす）　1/4カップ
  │ 塩　小さじ1/3　しょうゆ　少々
  └ 米酢、すりごま（白）　各大さじ1

1　大根、にんじん、きゅうりは塩をまぶして
しんなりするまで5分ほどおき、軽く水気を絞る。
2　Aを混ぜ合わせ、1をあえる。

意外にも合う素材は多彩です
納豆のあえ衣

納豆（粗く刻む）　50g（1パック）
しょうゆ　大さじ1
練り辛子　小さじ1
万能ねぎ（小口切り）　2本

すべての材料を混ぜ合わせる。

○合う素材　こんにゃく、大根、ごぼう、長いも、きのこ、なす、じゃがいも、きゅうりなど

【 たとえば…… 】
なすの納豆あえ

なす1本は薄いいちょう切りにし、
塩少々をまぶして5分ほどおいて、水気を絞る。
上記のあえ衣であえる。

【 ちょっとアレンジ 】
じゃがいもの納豆あえ

じゃがいも（8mm角切り）　小1個

A
- 納豆（粗く刻む）　50g（1パック）
- オリーブ油　小さじ1
- 塩、練り辛子　各小さじ1/2
- しょうゆ　少々　パセリ（みじん切り）　適量

1　じゃがいもは蒸し煮（P.10）する。
2　Aを混ぜ合わせ、1をあえる。

ごはんのおとも 常備菜

いそがしい毎日。日持ちのきくおかずが冷蔵庫に入っていると思うと、ほっとしませんか。
気軽につくれ、困ってしまうほど(!?)ごはんがすすむ常備菜を集めました。

上から
黒豆のまだか漬け
納豆みそ
海藻の即席つくだ煮風

上から
香り根っこのこしょうきんぴら
大根のネパール風漬けもの
ゆば山椒

常備菜 89

でき上がりが待ちどおしいから「まだか漬け」。魚を使わない精進松前漬けです
黒豆のまだか漬け

- A
  - しょうゆ 1/4カップ
  - 薄口しょうゆ 1/4カップ
  - 水 1/2カップ
- 酢 大さじ5
- 赤唐辛子 1本
- 切干大根 ひとつかみ
- 炒り黒豆（P.12） 1/2カップ
- 細切り昆布 1/8カップ

1 Aを合わせて沸騰させ、粗熱がとれたら酢と赤唐辛子を加える。
2 切干大根はざるに入れてさっと水をとおし、5分ほどおく。柔らかくもどったら適当に切る。
3 1に2と炒り黒豆、昆布を漬ける。3日後くらいからが食べごろ。

○日持ち　冷蔵庫で保存し、2週間くらい。

納豆がさらに味わい深く。ピリッと辛く、後をひきます
納豆みそ

- 納豆 100g
- A
  - 長ねぎ（みじん切り） 大さじ2
  - 玉ねぎ（みじん切り） 大さじ1
  - にんにく（すりおろす） 小さじ1
  - ごま油 大さじ1/2
  - こしょう 少々
- 水 1/2カップ
- みそ 1/2カップ強
- コチュジャン 大さじ1/2
- ごま油 大さじ3
- しし唐辛子（みじん切り） 2本
- すりごま（白） 大さじ1

1 納豆にAを加えて混ぜ合わせる。
2 フライパンに1を入れて炒め、水を加え混ぜて中火で2〜3分煮る。
3 みそとコチュジャンを加え混ぜ、全体がみそっぽくなじむまで弱火でじっくりと混ぜながら10分ほど煮つめる。途中、ごま油を少しずつ加える。
4 しし唐辛子を加えて火からおろし、仕上げにすりごまを加え混ぜる。

※レタスや薄くスライスした大根などにのせて巻いて食べてもおいしい。

○日持ち　冷蔵庫で保存し、2週間くらい。

混ぜるだけでOK。おなじみの「のりのつくだ煮」が、あっという間にできます
海藻の即席つくだ煮風

- 乾燥岩のり 1カップ
- めかぶ（生。洗う） 1/2カップ◎
- しょうゆ 大さじ2強
- しょうが汁 小さじ1
- ごま油 小さじ1/2
- 粉唐辛子（好みで） 少々

◎ 乾燥品を使う場合は1/4カップ。

1 すべての材料を混ぜ合わせる。

※香りのいい岩のりを使うことが、おいしさの最大のポイント。加熱しないので、海の香りがそのまま生きた仕上がりです。

○日持ち　冷蔵庫で保存し、3日間くらい。

実はいちばん香りが凝縮されている根っこを使って。クセになる味と歯ざわり
香り根っこのこしょうきんぴら

せりの根、根三つ葉の根、香菜の根
　単独またはミックスで1/2カップ
ごま油　小さじ2
しょうゆ　大さじ1〜2
黒粒こしょう　小さじ1/2（好みで加減）

1　根っこはきれいに洗い、斜め切りにした後、せん切りにする。
2　フライパンにごま油を熱して1を炒める。
　しょうゆで味つけをして汁気がなくなるまで炒め、
　粗くひいた黒粒こしょうを加える。

○日持ち　冷蔵庫で保存し、5日間くらい。

大根の歯ごたえがたまらない。思わずはしがのびます
大根のネパール風漬けもの

大根（拍子木切り）　1/4本
すりごま（白）　大さじ2
青唐辛子◎（輪切り）
　2本（好みで加減）
塩　大さじ1（好みで加減）
クミンシード　小さじ1/2
ごま油　大さじ3
◎ 青唐辛子が手に入らない場合は
赤唐辛子で代用してください。

1　大根はざるにのせ、1日天日干しする。
2　1の大根にすりごまをまぶし、青唐辛子と塩を加え混ぜる。
3　フライパンにごま油とクミンシードを熱し、
　いい香りがしてきたら火からおろして2に加え混ぜる。
　半日ほどおいて味がなじんだら食べごろ。

○日持ち　冷蔵庫で保存し、1週間くらい。

コクがあり、ピリッと山椒がきいた上品な味。生ゆばを使った高級な常備菜
ゆば山椒

くみ上げゆば　2/3カップ
　（またはさしみ用ゆば）
山椒の実（水煮）　小さじ1〜2
しょうゆ　大さじ2強
塩　少々

1　ゆばは適当に切る。
2　鍋にすべての材料を入れ、汁気がなくなるまで弱火で7〜8分炒る。
※山椒の実のかわりに新しょうがが1かけをせん切りにして加えてもおいしい。

○日持ち　冷蔵庫で保存し、3日間くらい。冷凍可。

あると幸せ デザート

砂糖などの甘味料を加えずに（メープルシロップだけほんの少し使用）、素材が持つ自然の甘みで仕上げたデザート。どれもおいしいだけでなく、食事がわりにもなってしまうすぐれものです。

左から
おからとかぼちゃクリームのトライフル
黒米と小豆の精進パフェ

豆腐クリームのデザートバリエーション
豆腐クリーム＋フレッシュブルーベリー（上左）
豆腐クリーム＋りんごのコンポート（上右）
豆腐クリーム＋麩のシロップ漬け→ティラミス風（下左）
豆腐クリーム＋さつまいもとかぼちゃ（下右）

甘く煮たおからは、シロップを含ませたスポンジ生地のように使えます

おからとかぼちゃクリームのトライフル

おから　1/4カップ
油　大さじ1
りんごジュース　1カップ
　（ストレート果汁100％のもの）
レーズン（ざく切り）　大さじ1 1/2
塩　少々
ブランデー　大さじ1
好みのフルーツ　適量
　（ブルーベリー、ラズベリーなど）
かぼちゃクリーム
　蒸し煮して（P.10）つぶしたかぼちゃ
　　1/4カップ
　豆乳　2/3カップ
　小麦粉　大さじ1
　メープルシロップ　大さじ1
　塩　少々
　バニラビーンズ　少々
　　（さやをさいて、種をしごき出す。
　　　種のみ使用）

1　おからはフライパンでから炒りする。
パラパラに乾いたら油を加えて炒め、油が全体になじんだら、
りんごジュース、レーズン、塩を加えて水分がほとんどなくなるまで
（しっとり感が残る程度に）炒め、ブランデーを加え混ぜる。
冷蔵庫で冷やしておく。
2　かぼちゃクリームの材料をミキサーまたは
フードプロセッサーにかけてなめらかにする。
鍋に移し入れて火にかけ、混ぜながらとろみがつくまで加熱する。
冷蔵庫で冷やしておく。
3　器に1、2、好みのフルーツを交互に入れて層にする。

※かぼちゃクリームのかわりに、豆腐クリーム（右頁）を使ってもおいしい。

豆乳で煮た黒米は、ココア風味にも似たコクのある味わいです

黒米と小豆の精進パフェ

黒米　1/4カップ
油　大さじ1
豆乳　1 1/4カップ
メープルシロップ　大さじ1 1/2
塩　少々
ブランデー　大さじ1
小豆とドライフルーツのワイン煮
　ゆでた小豆（P.12）　1/4カップ
　レーズン　大さじ3
　プルーン　1〜2個
　　（種をとり、レーズンと同じ
　　　くらいの大きさに切る）
　赤ワイン　3/4カップ
　　（甘口。国産の無添加のもの）
　塩　少々
いちごソース
　いちご（へたをとる）　1/4パック
　メープルシロップ　大さじ1
　ブランデー　大さじ1
　レモン汁　少々

1　黒米は洗ってひと晩水（分量外）に浸す。
漬け汁を1/2カップ分（分量外）とり分けたら、ざるに上げて水気を切る。
2　厚手の鍋に油を熱して1の黒米を炒め、
豆乳と、1の漬け汁1/2カップを加える。
沸騰したら弱火にし、黒米が柔らかくなるまで20分ほど煮る。
3　2にメープルシロップ、塩を加えてさらに7〜8分煮て、
ブランデーを加える。冷蔵庫で冷やしておく。
4　小豆とドライフルーツのワイン煮をつくる。
すべての材料を鍋に入れて火にかける。
沸騰したら弱火にし、水分が少なくなるまで煮つめる。
冷蔵庫で冷やしておく。
5　いちごソースをつくる。すべての材料をミキサーまたは
フードプロセッサーにかけてなめらかにする。冷蔵庫で冷やしておく。
6　器に5を敷き、3、4を盛る。

※甘口の赤ワインがない場合は、渋みの少ない赤ワインに味をみながら
　メープルシロップなどを加えて代用してください。

チーズクリームのようなコクがある豆腐クリーム。
これさえあれば、アイデア次第でさまざまなデザートが楽しめます

豆腐クリームのデザートバリエーション

豆腐クリーム

木綿豆腐 1/2丁
メープルシロップ 大さじ2強
油 大さじ1
レモン汁 小さじ1
白ワイン 小さじ1
（甘口。またはブランデー）

1 鍋に湯を沸かし、豆腐をくずし入れる。ふたたび沸騰したらざるに上げて水気を切る。
2 すべての材料をミキサーまたはフードプロセッサーにかけてなめらかにする。冷蔵庫で冷やす。

豆腐クリーム＋フレッシュブルーベリー

器にブルーベリー適量を盛り、豆腐クリーム適量をかける。

※ほかのベリー類でもおいしい。生クリームに合うフルーツ全般が合います。

豆腐クリーム＋りんごのコンポート

りんご1個はくし形に切って鍋に入れる。白ワイン（甘口）を
ひたひたにそそぎ、塩、レモン汁各少々、シナモンスティック1本（あれば）を加えて
5分ほど煮る。冷蔵庫で冷やし、器に盛って豆腐クリーム適量をかける。

豆腐クリーム＋麩のシロップ漬け→ティラミス風

水1/2カップ、メープルシロップ、コーヒーリキュール各大さじ2を混ぜ合わせ、
おつゆ麩8個を浸して冷蔵庫に入れる。麩が柔らかくもどって冷えたら
水気を軽く切り、器に麩と豆腐クリーム適量を層になるように重ねる。
仕上げにココアパウダー適量をふる。

豆腐クリーム＋さつまいもとかぼちゃ

さつまいも、かぼちゃ各適量は1cm角切りにして蒸し煮し（P.10）、冷ます。
豆腐クリーム適量であえて器に盛り、あればミントの葉を飾る。

※レーズンなどドライフルーツを加えてもおいしい。

左から
きなこのスクエアケーキ
さつまいものみそケーキ

左から
なすとプルーンのワインコンポート
トマトとりんごの春巻パイ

かみしめるほどにきなこの甘みがじんわり。砂糖いらずの満足感です
きなこのスクエアケーキ

きなこ　1カップ
薄力粉　2/3カップ
A ┌ くるみ(粗みじん切り)　1/3カップ
　├ レーズン　1/4カップ
　├ 乾燥いちじく(粗みじん切り)
　│　5～6個
　└ 塩　少々
豆乳　1/2カップ
油　大さじ3
ラム酒　大さじ1～2
　(またはブランデー)
くるみ(飾り用)　適量

1　ボウルにきなこと薄力粉を入れて混ぜ、Aを加え混ぜる。
2　豆乳、油、ラム酒を混ぜ合わせて1に加え、
　さっくりと混ぜ合わせる。
3　天板にオーブンシートを敷き、2をのせて
　2cm厚さの角形にととのえ、表面にくるみを飾る。
　190℃のオーブンで18分ほど焼き、冷めたら適宜に切り分ける。

※薄力粉は好みで全粒粉にかえてもかまいません(さつまいものみそケーキも同じ)。

お菓子のような、おそうざいのような、"おつな味"です
さつまいものみそケーキ

さつまいも(1cm角切り)　250g
A ┌ 麦みそ　大さじ1
　├ しょうが汁　小さじ2
　├ 豆乳　1/2カップ
　├ 油　大さじ2
　├ 薄力粉　1/2カップ
　└ すりごま(白)　大さじ2
炒りごま(白)　適量
シナモンパウダー　適宜

1　さつまいもは蒸し煮し(P.10)、半量はつぶす。
2　ボウルに1を入れ、Aを順に加え混ぜる。
3　パウンド型(25cm×8cmのものを使用)に
　紙を敷いて2を入れ、炒りごまをふる。
　180℃のオーブンで20～25分焼く。
　冷めたら適宜に切り分け、好みでシナモンパウダーをふる。

※パウンド型は、適当な型・耐熱容器で代用してもかまいません。

なすがフルーツに変身します。いちじくのような口あたり
なすとプルーンのワインコンポート

A
- なす(縦に4等分する) 1本
- プルーン(種をとる) 4個
- 赤ワイン 1カップ
  (甘口。国産の無添加のもの)
- シナモンスティック(好みで) 1/2本
- クローブ(好みで) 2〜3個

ミントの葉(飾り用) 適宜

1 鍋にAを入れて火にかける。
沸騰したら弱火にし、なすが柔らかくなるまで
8〜10分煮る。冷蔵庫で冷やす。
2 器に盛り、あればミントの葉を飾る。

※甘口の赤ワインがない場合は、渋みの少ない赤ワインに
味をみながらメープルシロップなどを加えて代用してください。

トマトとりんごは相性がいい。隠し味の塩が甘さをひきたてます
トマトとりんごの春巻パイ

- トマト(ざく切り) 1個
- りんご(ざく切り) 1個
- 塩 小さじ1/2
- 春巻の皮(小) 6枚
- 油 適量

1 鍋にトマトとりんごを入れて塩をふり、ふたをして蒸し煮する。
いい香りがしてきたらふたをとり、
木べらで混ぜながら水分をとばす。6等分する。
2 春巻の皮の片面全体に薄く油を塗り、
油を塗った面に1を1個分ずつのせて巻く。
3 天板にオーブンシートを敷いて2を並べる。
200℃のオーブンでおいしそうな焼き色がつくまで8分ほど焼く。

混ぜて固めるだけととても手軽な"精進アイスクリーム"。
卵、乳製品、砂糖いらずのコクと甘さです。合わせる素材はお好みでどうぞ

甘酒のアイスクリームバリエーション

どの種類もつくり方は同じ。すべての材料をミキサーまたはフードプロセッサーにかけて
なめらかにし、容器に移し入れてひと晩ほど冷凍する。固まったらふたたび
ミキサーまたはフードプロセッサーにかけて、同様に冷凍する。

いちご

いちご（へたをとる）　1パック
甘酒（無加糖のもの）　300g（1袋）
塩　少々

里いも

里いも　2〜3個
　（蒸して皮をむき、つぶす）
白みそ　大さじ1½
ゆずの皮（せん切り）　小さじ1
甘酒（無加糖のもの）　300g（1袋）
塩　少々

※「精進すき焼き」(P.56)でも使っている甘酒は、ぶどう糖や必須アミノ酸、
ビタミン類が豊富に含まれた、日本の伝統が誇る滋養強壮ドリンク。
江戸時代には夏バテ防止に飲まれていたそうです。その甘みは穏やかで体にやさしいのもうれしい。
デザートに、また、甘味料としても活躍させたい食品です。
※アイスクリームには濃度の濃い甘酒がおすすめです。

ごま

練りごま(白) 大さじ3
炒りごま(黒) 大さじ2
豆乳 1/2カップ
甘酒(無加糖のもの) 300g(1袋)
塩 少々

紫キャベツ

紫キャベツ(せん切り) 1/8個
　(ストレート果汁100％のりんごジュース1/2カップと
　酢小さじ1を合わせて沸騰させた鍋で5分ほどゆで、
　水気を切る)
米酢 大さじ1
甘酒(無加糖のもの) 300g(1袋)
塩 少々

※酢を加えることで色がより鮮やかになり、
ねっとりとした仕上がりになります。

日 々 菜 々

私がはじめてお料理をつくったのは、10才の時。
それは「三つ葉と焼きしいたけのあえもの」という、小学生らしからぬものでした。田舎の農家に育ったため、食材はお店に買いに行くものではなく、畑や庭でとれたもの、というのがあたりまえでしたから、自然と裏庭のしいたけと畑の三つ葉の出番になったのです。さっとゆでた三つ葉の色鮮やかさと甘み、網焼きにしたしいたけの独特の風味を、いまでもよく覚えています。

こうやって子どもの頃から野菜と親しんでいるうちに、野菜が持つ繊細で複雑な味わい、豊かな色彩、加熱方法や調味料によってさまざまに変化していく味や歯ごたえなどに魅せられるようになりました。味気ないと思われがちな野菜料理の世界が、実はとても奥深いものだと気づいたのです。
それは、私がベジタリアン料理や精進料理に興味を持つきっかけであり、また、さまざまなお料理のカテゴリーを超えて、素材に対してとことん向き合ってお料理を創作するという、いまの私のスタイルのはじまりでもありました。

私がお料理で大切にしていることは、まず、おいしいこと。食べてすぐに感じる直接的なうまみ、という意味合いだけでなく、シンプルでありながら深い味わいがあり、体だけでなく心も満たされるおいしさです。ほかからのうまみを安易に加えず、その素材が持つおいしさを120％ひき出せればと思っています。

次に、調理法がシンプルなこと。毎日の食事をつくり続ける上で大切ですし、また、いたずらに手間や時間をかけすぎないほうが、食材の風味が生きると思うからです。

そして、美しいこと。飾りたてた美しさではなく、さりげない、素朴な野花のような美しさを演出したいと思っています。

そしてもちろん、体にいいこと。人間は季節や住む土地と深くつながっていて、その土地でとれる旬の素材を食べることが、健康につながっていくように思います。

最後に、地球にやさしいこと。理想論かもしれませんが、地球と人がずっと共存できる食べものを追求していきたいと思っています。

私にとって、野菜のお料理をつくることはとても楽しい作業で、素材をさわっているうちに、次から次へとアイデアがひらめいてきます。

お料理は、まず、素材への感謝の気持ちからはじまります。「おいしくなあれ」と思いながらていねいに素材に接すると、おいしさが増すような気がします。

そしてお料理をはじめたら、五感をとぎすませます。素材は、色や香り、音などで、いちばんおいしい時を知らせてくれます。

こうして生まれたレシピを、できるだけたくさんの方に使っていただけたら幸せです。皆さんにとって野菜料理が、もっとおいしく、バラエティにとみ、体にいいものになればという願いを込めて……。

カノウユミコ

撮影協力

□ 草SO
東京都渋谷区渋谷2-3-4 スタービル青山2F
TEL 03-5778-6558　http://www.so-kurashi.com

［器］P.20・P.77右上、P.30右・P.47、P.42右・P.66右（上）、P.45、P.46右・P.77左下、P.50左・P.79右下、P.53・P.79左下、P.55、P.56（奥）・P.70右・P.72（奥）、P.59、P.65、P.70右、P.79左上

□ 染司よしおか 東京
東京都港区西麻布1-4-40 西麻布篠ビル1F
TEL 03-3478-0737

［コースター］P.34左・P.68、P.58右
［ランチョンマット］P.35左・P.42左、P.40、P.41・P.42右・P.59、P.43・P.47、P.72
［テーブルセンター］P.44、P.45・P.73、P.48・P.50左・P.58右・P.70右・P.74右

□ 桃居
東京都港区西麻布2-25-13 石原ビル1F
TEL 03-3797-4494

［器］P.36・P.61、P.37・P.60、P.38左、P.39、P.63

□ yūyūjin
東京都渋谷区渋谷2-8-7
TEL 03-5485-2343　http://www.yuyujin.com

［器］P.23（上）・P.66左、P.28・P.79右上（下）、P.33・P.43・P.81右上、P.44、P.49、P.58右、P.74右

菜菜ごはん
さい さい

野菜・豆etc.すべて植物性素材でつくる かんたん満足レシピ集

初版発行　2004年8月5日
9版発行　2008年10月20日

著者©　カノウユミコ
発行者　土肥大介
発行所　株式会社柴田書店
　　　　〒113-8477
　　　　東京都文京区湯島3-26-9 イヤサカビル3、4F
　　　　書籍編集部　　03-5816-8260
　　　　営業部　　　　03-5816-8282（注文窓口・お問合せ）
　　　　ホームページ　http://www.shibatashoten.co.jp
　　　　振替　　　　　00180-2-4515
印刷所　凸版印刷株式会社
製本所　凸版印刷株式会社
ISBN　978-4-388-05957-7

本書収録内容の無断転載・複写（コピー）・引用・データ配信等の行為は固く禁じます。
Printed in Japan